傳家

春

滬傳櫻展自生睛
二〇一二年辛卯之春
其南

蔡其南老師畫作〈弄影〉

中國人的生活智慧

《傳家》小言

南懷瑾

　　二〇〇九年初冬，國際知名建築師姚仁喜偕夫人任祥到來，遇其同門登琨艷在座。登琨艷亦為享有國際盛名之建築師，彼此適得其會，談笑風生，講說現代文明與建築問題。正值此時，任祥取出她平日所作《傳家》書稿，含蓄的說，請老師過目指示，且說明自己多年來光陰並未虛度，想為社會文明與中國文化作一點貢獻。

　　我一邊翻閱，一邊頗為驚訝。目前大家都覺得社會風氣大有問題，中國人的生活方式，亦正處於不古不今、不中不外的轉變之中，大家莫衷一是。任祥是世家名媛，他的父母是我老友，皆為台灣當時政治、經濟、文化界的名人。她關心世事，為保留傳統文化，中國人生活起居部份習俗，以及啟發後輩少年兒童鑑古知今、繼往開來的知見，撰寫此稿，甚為難得。她生長在二十世紀中期以後的台灣，親受家庭影響，在時代的劇變中，因感受中西新舊文化的激盪而不安。

　　台灣號稱寶島，在我幼年時期的心目中，只知道它是海外名山，蓬萊仙島，可望而不可及。推溯十七世紀中期，明末清初之際，鄭成功率領全國各地豪傑，及不願作二臣者，進駐台灣、澎湖，因此二百餘年來，尚能保留中國傳統文化與各地生活的習俗。及至二十世紀中期，中國的局勢掀起空前未有的變數，導致全國各界人士及文化菁英遷移台澎，這是又一次中國文化在台的匯流。由於歷史上這兩次的文化總匯，雖不儘能代表中國全體各民族的傳統生活習俗，但也具體而微，足以代表中國文化於一隅，其中包括了客家文化、八閩文化、甌粵文化等遺風，這些大致都脫胎於河洛文化的古風。

　　任祥生當此際，並不熱衷追逐富貴榮華，而能做出一般人漠不關心，而卻與中國人生活最為切要的大事，極為可欽可佩！故喜為之介。

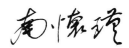

西元二〇〇九年十二月　歲次己丑初冬

傳承的智慧

宗薩蔣揚欽哲仁波切

　　要生活的既豐饒又和諧，並且不傷害他人，可能是人類文明最基本的努力。要能成功地達到這種生活方式，就需要有智慧、務實與信念作為工具。這些生活工具，經過長時間的發展，就產生了我們所謂的「文化」。特別在中國文化之中，許多生活上的傳統更融合了偉大思想家的智慧，世世代代傳遞下來。外國人可能會讚歎書法或針灸等特殊的文化；但是他們不見得能深入了解茶道、中秋賞月以及其他更多面向的中國文化智慧。

　　每個人都希望自己是獨特的、都希望被他人所注意；然而每個人也都期待有個歸屬感。我們各自所歸屬的獨特文化，是和朋友、家人聯繫的媒介，也是認同感與安全感的來源。我們創造了個人的特質，但也不與他人疏離；這是每個人日常的挑戰。同樣的，在文化上，由於維繫了文化認同，我們也保持了自信。但是，在現今快速的世界裡，人們太容易在不同文化的交錯中借用與混合，也太容易製造短暫而無法延續的時尚文化。這種趨勢，是企圖將所有的事物都變成相同、連鎖而一致的。對於亞洲文化古老的價值以及遠見的智慧，大家似乎愈來愈缺乏欣賞的耐心了。如果我們屈服於這種趨勢，就會失去在內心深處能與我們對話的古老傳統。有一天，我們可能會發現自己在一片荒漠當中，四下無人；我們可能變得無法與他人相處，甚至也跟自己失去聯繫。當然，文化會演變，沒有一種文化能歷劫不衰。但是我仍相信：我們寧願演變，而不要失去記憶。

　　生活在現今的世界裡，想要抵抗即刻的滿足感是很困難的。我們想要快速完成事情的強烈需求，導致了對各種細節的缺乏耐心。我們正處在一個變遷的邊緣，即將失去傳統與儀式的傳承智慧。我們似乎認為規規矩矩泡壺茶是浪費時間，卻不理解珍惜這個過程才能讓生命充實而從容。其實我們是可以從容地進食、從容地度假、從容地玩樂的。

　　對於自己的傳統，我們有責任去理解與實踐，並且將它傳遞給下一代。中國文化的海洋浩瀚無垠，遠自老子、莊子等過往的大智者，一直到今天有心持續傳

統的人，淵遠流長、源源不絕。作者任祥以她的生活經驗加上多年的努力，完成了《傳家》這套書。她提供給我們對中國生活智慧一個易於欣賞、易於了解的全貌。這部廣泛涵蓋中國人生活文化的著作，出版的正是時候。我衷心地歡迎它的問世。

西元二〇〇九年十二月

出版緣起

　　好多年來，我一直想出版一套書，述說中國人生活中的美與智慧；也想送給兒女們一套讓他們認識自己、珍惜傳統價值的生活百科。經過近五年的努力，終於可以了卻心願，順利出版。

　　這套書定名為《傳家——中國人的生活智慧》。全套分春、夏、秋、冬，每季各自獨立為一本，內容都以「氣氛生活」、「歲時節慶」、「以食為天」、「匠心手藝」、「齊家心語」、「生活札記」六個單元，展現日常生活的中國文化精萃。

　　搭配四季的風景與小食，傳達當季不同的光影，塑造浪漫的生活景緻，為每一冊書拉開序幕。每一個季節以兩個最具代表性的節日，詳細的介紹自古流傳至今的慶典禮儀。而流傳於民間的農民曆與二十四節氣，也都以淺顯易懂的手法做說明。

　　中國人一向很講究吃，飲食文化在本書佔了很大的篇幅，分別以主食、文化食物與零食三種方式介紹；有的以做法粗分類別，有的則龐雜如百科全書。我們的飲食文化，發展到現代，越來越豐富精緻，卻因為過分烹調與要求口味，不一定越來越健康。身處忙碌的工商社會，我們更應加強現代營養學的常識，認識有機的重要，認識食材的體系，分清楚食物與食品的界線，善用自然的搭配，減少鹽分與油脂，如此才能兼顧美味與健康。我在「食物」篇提供的是分類方法，視覺效果；家傳食譜，民間食補，以及常用的中醫藥膳。

　　每一個中國人珍貴的文化血液，都被自古流傳下來的藝術所薰陶，我整理出屬於我們的服裝、飾品、書法、繪畫、器物、樂器、戲劇與生活中的線條；禮物的設計搭配、心意的傳達等，這些都不難看到屬於我們共同的語彙。四時的花藝與我多年來散在各地的珠寶家飾卡片設計等，也一併介紹於「匠心手藝」這個單元。此外我也將宜蘭花布、藍染花布、縫繡編織還有剪紙等藝術，分散於四季的攝影背景中。

　　「齊家心語」篇的設計，可以說是這整套書的骨架，字裡行間不乏道理與教

條，也蘊含著深厚的情感：是身為母親，與兒女的教育對話；身為兒女，與上一代的感恩對話；身為妻子，與先生的愛情對話。這些文章，有些曾在報刊發表，其中的真實故事，在大時代戲劇化的過程中，也重疊出現在很多中國人的家庭，展現不同年代的長輩在面對苦難時的勇氣和智慧。有些是我給家人的信，以及我從小到大的生活點滴。有些做人處世的文章則是提醒孩子們必須注意的。

我們的文化底蘊與先人智慧的結晶，則體現在出版，成語，諺語，格言、詩詞戲劇與歷史上，還有歷代各種名人的身上；這些中國人獨有的文化精華，是我花了很多年蒐集、整理的寶貴資料。中國人的宗教、教育方式、術數命理與生活生命禮節等，也都用散文或是圖繪的方式介紹，種種的用心，都是希望兒女們能藉此更了解他們的父母，以及先人的經歷與智慧。更希望他們能代代相傳下去，豐富後代子孫的生活文化。

最後的「生活札記」，則是最基本料理生活的技巧與常識，如我的菜園、我的廚房、四季養身、家庭管理、家人溝通等。我訪問了很多女性朋友，有夫妻緣盡而離婚的，有婚姻幸福家庭美滿的，有跟兒女與長輩皆能融洽相處的，也有父母對兒女的表現未達標準而失望的……；我問的都是同一個問題：「如果時光能夠倒流，妳對以前沒做到的事，最想彌補的是什麼？」然後，我在字裡行間穿插了那些未了的遺憾和夢想。至於宴客，那是我們生活中的餘興節目，本篇也做了一些宴客設計的介紹。

我必須說明：我只是導演這一套書的人，絕不是如文字中見到的那個不可能的「完美女人」。家家有本難念的經，我當然也不例外的有一本複雜的經要修渡；但我希望傳承給後代的，則是生活中快樂的、美麗的、正面的事物。所以這套書在畫面的擷取，文字故事的撰寫等，大多經過精心的美化與編排。

我不是專業作家，以後也沒有其他的寫書計畫。這套書的出版，完全是一廂情願，獨自摸索籌畫完成。它不是我的夢，而是一件我認為該做的事。既然該

做，就未曾考量成本利潤通路等問題；這當然不符合現今的出版行規。出版專業人士面對這套書，第一個反應可能是如何歸類？其次是，內容這麼多樣豐富，當然要拆成很多本來賣！它的部落格在哪裡？如何培養社群？如何運用這套書中種種商機？如何把這個默默無聞的作者變成中國的瑪莎‧史都華（Martha Stewart），構築一個時下最流行的「文化創意產業」王國？……。——在現代行銷上，他們的考量當然是對的。只是我的目的與商業無關，我的時間有限，量力而為是原則。我一直提醒自己，不要混淆了初始的出發點。

　　我的出發點純粹是想要提倡「家庭」的價值，想要傳承、分享以及貢獻。這麼多年來，日日夜夜構築與撰寫這套書，其實常有一種孤獨的感覺；因為我的背後並沒有一個工作團隊的支援。我嘲笑自己像個說客，抱著整套書的架構，自己寫的劇本，幾萬張的照片，周遊無數的地方，去見無數的人，請他們幫忙，並在他們的眼神中尋求做下去的勇氣。

　　在撰寫這套書的過程中，我常因某個小偏方，要跑好幾次各地的遙遠村落，想獲得些流傳在古舊廚房裡的味道，或是某位傳統女性身上的想法與學問，想記錄她們務實的方式與技巧。甚至路上的行人都可能是我要學習、請教的對象。幾年來的上山下海，交了好多朋友，他們都是幫助我完成這套書的幕後推手。而我尋求的共鳴，也都是對生活有著獨到經驗的前輩，譬如會燒菜的大廚、種菜的農夫、幹練的家庭主婦、學校的老師、中醫師、善做手工藝的阿姨、深知傳統節慶禮俗的長輩與歷史學家……；當然還有一生致力於推動中國文化的偉大導師們。

　　我自己才疏學淺，所知的常識並未如史學家那樣追究根柢，所以本書的內容與資訊也許有不少謬誤，在此誠心的期望前輩們惠予指正。當然我也希望，有一天這套書能以英文版呈現，把中國人生活中的智慧，正確的傳遞給外國朋友們；讓他們了解我們生活的全貌，並且看到中國人生活中的美麗。

　　最後，也是最重要的一句話：能夠給兒女後代留下這套書，是一種上天的恩寵。

姚任祥

西元二〇一二年十二月

春序～我與阿祥走過春天

文藝界的朋友都很喜歡攝影家劉振祥,暱稱他為「阿祥」;和我的名字倒很像呢。

阿祥的老家在陽明山,離我現在的家也很近。二十幾年前我搬上山時,他因工作的關係搬下山了。不過他有空就回老家看看,說起山上種種,我們總有許多共通的話題。

我很羨慕阿祥的工作,能夠常常進出各種表演藝術的場所,為演出者留下剎那的完美影像,或者記錄他們珍貴的成長歷史。我也羨慕他認識那麼多藝術家,看得到他們在舞台上的風華,也看得到舞台下的傳奇。但他與他們總隔著鏡頭,保持一種可進可退的距離,然後冷靜的按下快門,捕捉住連藝術家本人都未察覺的細微表情。

我知道他很忙,仍然抓住他跟我一起走過幾個春天,期望留下一些我們都珍惜的影像。

「阿祥,我們去拍櫻花好不好?」四年前我這麼問他。

「如果是那片蔡律師的園子,現在太早了啦,大概再等三星期!」他這麼回答我。可見他對我們山上的生態有多熟悉。果真,三星期後他成功的捕捉到空氣中的粉質色彩。

阿祥晚婚,兒子「撰撰」長得和他一樣憨厚可愛。有一次他帶四歲多的「撰撰」回老家,順便來我們家坐坐,大夥逗著「撰撰」玩個不停。後來我找出孩子們小時候玩的小卡車,撰撰立刻推到角落自得其樂的爬著玩。阿祥看了,不禁笑著說,他小時候沒玩過汽車;「不過我們那時候,身邊任何一樣東西都可以拿來當玩具,跟鄰家孩子間沒有重複的玩意兒,而且那充滿手工趣味的質樸小物件,可以讓我們把玩好久!」——相較於年輕一代的孩子,坊間的玩具大多制式乏味,製作粗鄙,玩不多久就厭膩了,阿祥的童年可真幸福!

阿祥和我一樣愛動手做東西，手工製作過程中的喜悅，似乎是我們最大的生活樂趣。我們常感嘆生活不怕沒樂趣，只怕沒時間享受樂趣。我做編織，做設計，他則幫撰撰做飛機、竹蜻蜓、修玩具、拼玩具……，在那過程中回味自己的童年，也享受著親子之樂。這樣體貼的父親，這樣幸福的孩子，在台北這個忙碌都會已經很稀少了！

　　「那麼，阿祥，你對春天一定有很多特別的印象吧？」
　　「有啊，」他說：「春天的光影幻變，陽明山上有各種花；櫻花，杏花，杜鵑花，梅花……，前前後後有十幾種色彩。尤其櫻花盛開的時候，空氣裡到處瀰漫著淡淡的粉紅色。等花朵謝了，樹上會冒出一粒粒小果子，我們就爬上樹摘下來，用糖醃一醃，居然也是一種好吃的蜜餞。」
　　「還有呢？」我聽得入迷，催著他再說。
　　「還有就是三、四月清明時節，山上常常飄著毛毛雨，田野裡樹林間到處冒出粉綠的鼠麴草，身上披著白色的細毛，開著黃色的小花，我們知道又有草仔粿吃啦！終於有一天，母親一大早喚我們去摘鼠麴草，回來就看她在廚房忙個不停。然後大灶裡燒起了柴火，灶上的大蒸籠冒著白煙，我們眼巴巴等著母親掀開蒸籠的蓋子。好不容易分到那充滿草香味的草仔粿，咬下那香噴噴的菜脯米內餡，稀哩呼嚕急著吃上一口，根本顧不得燙舌頭！……」
　　阿祥說的這些，都不是在公寓裡成長的撰撰可以享受到的！所以嘍，阿祥，我們一起走過春天，你的鏡頭記錄的，不也正是要給撰撰看的嗎？

　　阿祥跟我在陽明山鄰居家的櫻花園，利用春天的嫩粉與新綠，搭配古典的中國餐盒，拍攝櫻花樹下繽紛而悠閒的氣氛。「歲時節慶」的元宵節，我把孩提時代提的燈籠都設法找到或做出來，也介紹了典故與食物。清明是中國人祭祖的大

節日，絡繹不絕的掃墓人潮，說明我們慎終追遠的精神。清明節吃潤餅，有不同的歷史典故與配料，習俗則同樣流傳至今。「農民曆」則解讀「怎麼看農民曆」，也解讀了祭祖時的金銀紙文化。

「以食為天」篇，主食部分詳盡的介紹了米的種類、種植及各種吃法。它還傳遞給子孫很多的生活智慧。「文化食物」介紹茶、器皿與茶席。「零食」則用類似百科全書的手法介紹我們的蜜餞。

「匠心手藝」篇，介紹了史前文明以來到清朝的器物，這是一個浩大的工程，一筆一畫的重繪在博物館或是私人的收藏品，成就了前所未有的中國人的「器物圖標」。也把有記載以來的中國服飾史料，選了二十三套，委託實踐大學服裝設計系將版型製作出來，可提供愛好者一些靈感；用西式的絲絨雪紡等布料裁製，產生另外一種特殊的風格。本篇有我多年來的珠寶設計作品，還選用台灣宜蘭花布，設計了實用的生活用品。並且介紹台灣才有的山蝴蝶，設計了乾燥的櫻花瓣為主題的裝置藝術。

「齊家心語」篇，〈賈寶玉呀！〉，是從我的愛犬「賈寶玉」的故事寫到《紅樓夢》，並以之說明歷史與人的劇情，常常是不斷的在重覆演變——尤其是錯誤的結局，必有其錯誤的原因——希望兒女們從這本偉大鉅著中，了解中國人的人情義理，與做人處事該謹守的原則。「歷史」的篇章，希望能一目了然的看到全景，於是我設計了一個永續的洪流，縮影於一個漩渦，讓自己有感身處其中，這是一個鮮活的教材。「中國的出版總表」，洋洋灑灑把先人的鉅著列出來，不難發現中國人的智慧不只在教條，屬於生活的資訊也非常廣泛而有系統。分類的方式，則採用台灣圖書館的資料庫查詢系統，同時比對到以前四庫全書的經史子集分類系統。最早整理出來的書籍為此表的三倍之多，後來請教復興中學的老師們，幫忙把目前在台灣的中文課程從小學到高中有提到的書籍整理出來，我再把屬於食物、醫療、生活百科等實用型的書籍加上去，其餘的則予以刪除。民國後的，則請教了很多位喜歡閱讀的朋友幫忙整理，節錄出來。此表純屬我個人的整理，一定有所遺漏，尚請前輩指正。「福慧雙修」，是中國人對於仁德與智慧的顯現，也是除了溫飽與專業以

外該有的生命功課。因此也粗略的介紹了我們的宗教類別及宗教文化活動。「藍楠香方」，是以我家百年老樹做的線香，除了介紹線香文化，也表達珍惜天地萬物與尊重生命的生活觀。

「生活札記」，記載了「我的菜園」的春季種植經驗，「我的廚房」介紹中國人所熟悉的基本味覺，我設計了一張可以貼在冰箱上面的「民族味覺配比圖表」，有二十道味覺。此表一面介紹醃料，另外一面介紹綜合調味料，希望能減低初學者對燒菜的恐懼，讀者可以自行降低鹽分與油脂的比例，以符合現在飲食的趨勢。「宴客」則以春天的蝴蝶為主題，設計了一場別緻的蝴蝶宴。「養身」介紹中國人的傳統療法。「家計」篇則以一年之計在於春，強調生活計畫與理財規劃；那是非常重要的生命課題。

姚任祥

西元二〇一二年十二月

氣 氣生活

春花下
的野餐

留住

姚任祥

輕柔的風拂過妳緋紅的面頰
多情的雨滴在妳漾蕩的眼簾
怎麼樣留住妳此刻的心情　回眸的笑容
怎麼樣留住妳不經意的爛漫　欲言又止的嬌羞
且以這一番奼紫嫣紅
留住妳春光盈盈的容顏

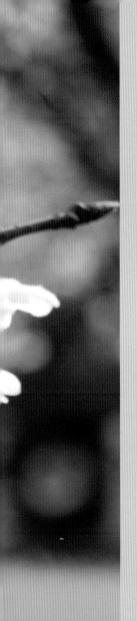

歲時節慶

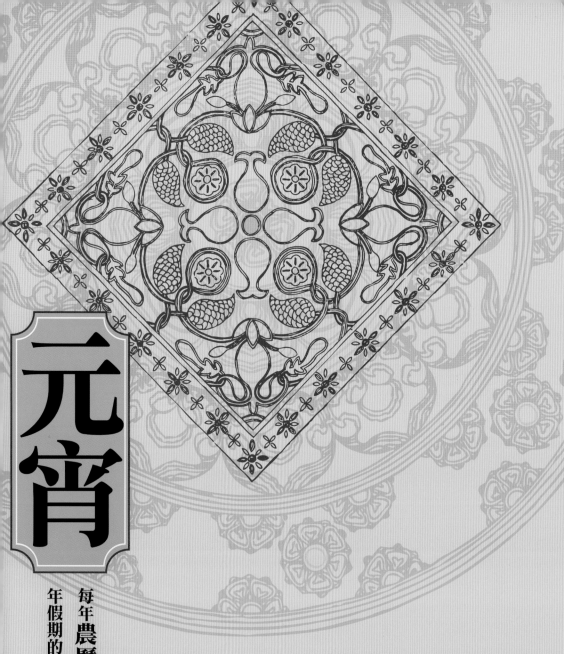

元宵

每年農曆正月十五的元宵節，是農業社會新年假期的最後一天，因此又叫「小過年」。

元宵節就是「燈節」。孩提時代，為了能得到一個像樣的燈籠提出去炫耀，平常再調皮的我們，元宵節前幾天都會特別乖巧。我當時最渴望能擁有一部動物燈籠車，拉著它上街真是再快樂不過的事；我哥哥他們那些男生則最愛關刀、飛機。但是燈籠車很貴，我只提過一次動物燈籠車，其它都是普通的花燈。我鄰居有個獨生女，穿著漂亮的蛋糕裙像個小公主，拉一隻黃色毛茸茸的兔子燈籠車，真是羨煞所有街坊的女生。

　　有一年，隔我們幾間房子的有錢人家男孩，拉著一艘藍色的軍艦燈籠車，更是神氣極了。但大概是太拉風了，男孩拉著它在公園跑著跑著竟突然著火了。那男孩慌得放聲大哭，我們提著各自的燈籠圍過去看，可能因大家靠得太近，風一吹又有兩個燈籠著了火，一下子亂成一團。結果是大人忙著滅火，小孩子又哭又鬧，好好一個元宵夜就這麼提前劃下句點。我的燈籠雖然沒有著火，卻也跟著嚇哭了，心不甘情不願的被哥哥拉回家。那時我依依不捨的回首黑暗的公園，看到幾個窮人家的小孩提著奶粉罐做的克難燈籠，那燈火仍在風中不停地閃爍著……。

　　多年後我的小孩也到了可以提燈籠的年紀，我在市面到處找不著以前的紙糊燈籠，滿街只見俗不可耐用電池點亮燈泡的塑膠燈籠，而且造型也變成日本的「Hello Kitty」、「無敵鐵金剛」，感覺真是失落啊！

　　為了拍攝記憶中的燈籠，我從大陸福州市找到幾個手工燈籠，還去香港打聽到一位夏中建紙藝大師。我跑去拜訪他，形容小時候的燈籠形狀，請他們幫忙做出來，希望將來有一天，我可以用這本書告訴後代，當我們還小的時候，過元宵節是多麼的有趣。

每年農曆正月十五的元宵節，是農業社會新年假期的最後一天，歡度元宵夜後，隔天一切恢復常態，因此又叫「小過年」。

　　元宵起源於漢代，已經有兩千多年歷史。相傳大將周勃在正月十五平定「諸呂之亂」，漢文帝為了慶祝，每年元宵都會出宮與民同樂，並祭祀上天祈求國泰民安。

　　元宵節的趣味，就是各種花燈的呈現。各大廟宇也都會舉辦熱鬧的燈會活動，掛滿平安燈，製作各式各樣主題的花燈，並舉辦競賽由民眾票選，總是吸引人山人海。好友艾米，連生了三個女兒，她媽媽要她在元宵節去「繞燈籠」，因為「繞燈籠」與台灣話的發音「添丁」很像，她就於上元節到台北的龍山寺去「添丁」。龍山寺的手工燈籠展像一片花海，吊在迴廊上琳瑯滿目好不熱鬧，她誠心的繞，繞完回去後果然連生兩個兒子。我們都為她好歡喜。

　　元宵燈會的娛興節目則是「猜燈謎」。猜謎本是讀書人之間的鬥智活動，南宋時有好事者在元宵節把謎語寫在紙條，貼上燈籠供人猜謎，因為好玩有趣，老少咸宜，立刻蔚為風潮，演變成有獎徵答的趣味活動。燈謎雖然不是什麼偉大的文學作品，但在創作上不但要講究「語圓」、「意明」、「體備」等原則，而且至今已經衍生出數十種格式，通常會註明在謎題後供人參考。以常見的「捲簾格」來說，就是要把謎底由下而上倒過來讀，像珠簾倒捲一樣；例如「九千九百九十九」（猜成語一句），捲讀為「失一無萬」，倒回來正讀就是謎底「萬無一失」。

燈謎

燈謎發展至今已經衍生出數十種格式，如捲簾格、燕尾格、摘匾格、白頭格、徐妃格、求凰格、素心格……

摘匾格：朝辭白帝彩雲間　（猜一物）

籬笆

門庭若市　（射一字）

鬧

白頭格：一枝紅杏出牆來　（猜一人物）

員外

二人同日去看花，百友相逢共一家，禾火二人相對坐，夕陽橋下一對瓜。（猜四個字）

春夏秋冬

除了花燈和猜謎，元宵節在各地還有一些特別習俗，台灣最出名的就是「南蜂炮、北天燈」。台南市的「鹽水蜂炮」，刺激、壯觀，親身經歷過的人都終身難忘。這習俗源自清朝光緒七年，鹽水長年飽受霍亂肆虐，居民十分恐慌，向當地武廟供奉的關聖帝君祈求解災救難；關老爺託夢要在元宵夜坐轎出巡，並指示信眾跟隨沿路施放鞭炮，遶境到天明就可將邪魔趕走。信眾依法照做果然靈驗，從此變成每年元宵的固定活動，陣仗也不斷擴大。

鹽水蜂炮通常在元宵入夜後進入高潮，持續到凌晨天明才結束。全副武裝的轎夫扛著神轎在大街小巷穿梭，所到之處，蜂炮四射，好像身處槍林彈雨的戰場。特別是經過沿路商家搭建的各式各樣大型炮台，更有萬箭齊發的震撼場面。如果觀眾沒有戴全罩式安全帽，很容易掛彩。

相較之下，新北市「平溪天燈」走的是較具意境的溫馨路線。天燈又稱「孔明燈」，相傳是諸葛亮發明，作為軍事通信用途，被公認是熱氣球的始祖。天燈的主體是用竹篾做支架，再用宣紙或油皮紙糊成，體方口圓；底座的中間綁了一塊沾著煤油的布或一層金紙，點燃後，熱空氣使得主體膨脹，天燈就冉冉上升。清朝道光年間，福建安溪的農民陸續移民到平溪、十分等山區開墾，但入夜後常有平埔族原住民出草及盜匪騷亂，村內只剩壯丁留守，老弱居民則暫避深山。等盜匪退去，壯丁就會施放天燈，示意老弱居民返家；後來即逐漸演變成元宵節祈福的活動。現在的元宵節，很多遊客湧至平溪，在天燈寫下各式各樣的願望，然後施放升天祈福。

入夜後站在群山環繞之間，靜靜欣賞著天燈隨風飄揚，這樣的許願方式非常別緻，這樣的意境更是迷人。

元宵節就是「燈節」，燈節的趣味就在各種花燈的製作，過去多用紙和竹紮出動物、水果、飛機、關刀等各式各樣的主題。

燈籠

元宵 與

湯圓

　　北方人稱元宵，是用竹篩搖滾而成圓形；南方人稱湯圓，是用手搓揉成圓形。早在唐代就有它的記錄，稱為粉果，宋朝稱為「圓子」或「團子」，明朝永樂時代後才通稱元宵。元宵大多以甜的口味為主，餡料切成小塊後，放在裝滿糯米粉的竹篩內滾成圓球，煮出來的湯頭比較濃濁。湯圓的做法像包餃子，必須先把內餡塞入，餡料有素有葷，湯頭比較清爽。湯圓或元宵的餡料千變萬化，在中國各地的吃法也不盡相同，著名的有蘇州五色湯圓、南京雨花石湯圓、山東芝麻棗泥湯圓、廣東四式湯圓和上海的擂沙湯圓、酒釀湯圓、蟹粉湯圓、四川的賴湯圓、心肺湯圓、江浙的藕粉湯圓、台灣的豆沙湯圓、鹹湯圓……等。

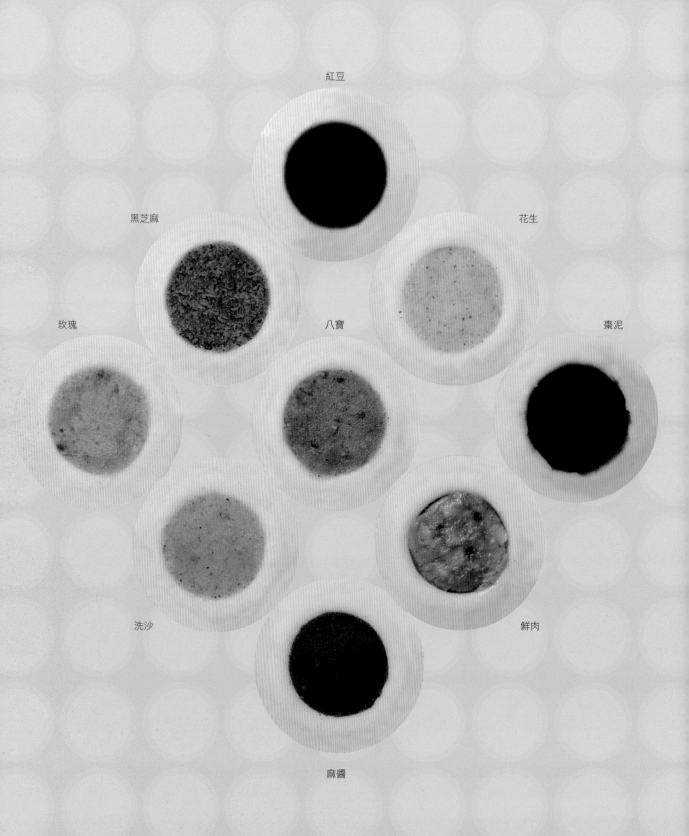

紅豆

黑芝麻　　　　　　　　　　　　　　花生

玫瑰　　　　　　　八寶　　　　　　　棗泥

洗沙　　　　　　　　　　　　　　　鮮肉

麻醬

台灣的鹹湯圓，包的內餡是豬絞肉，湯頭以大骨熬製而成，配上炒香的蒜、蔥、香菇絲、茼蒿菜，最後還要灑上現磨的胡椒，香氣四溢讓人垂涎。另有一款內地的吃法是，以薑末與切碎的韭菜叉燒同炒，拌入鹽、糖再加入豬油渣和炸過的碎花生，把這些餡料包入糯米皮中煮熟後，放入以老母雞熬的雞湯，再加上蝦米，香潤無比。上海的蟹粉湯圓，內餡是選用肥美的蟹黃、蟹肉與豬肉混合，鮮美至極。四川的心肺湯圓，內餡係以冬菜、豆腐乾丁先用豬油炒過，湯頭則有滷過的豬心、豬肺，吃的時候再加上蔥花、蒜末、花椒粉、辣椒等，口味比較厚重。

好吃的甜湯圓必須是油而不膩的，糯米要有不粘牙的口感。甜湯圓的內餡，大多是由芝麻、白糖、豬油等配製而成，也有用綠豆、紅豆、冬瓜糖、芋頭。

我最喜歡的甜湯圓是包棗泥餡。紅棗煮熟去核後，搗爛成泥，加入豬油、白砂糖搓成餡心，湯圓包好煮熟後，還要放到炒熟的芝麻與砂糖混合的料裡滾一圈，和上海擂沙湯圓沾「香沙」吃的道理相同。不同的是，擂沙湯圓的「香沙」，是以炒過的花生、芝麻或黃豆磨成粉，不過兩者的口味都是既油潤香濃又軟綿甜美。

我母親則是最愛酒釀湯圓。白湯圓投入酒釀湯鍋中，再加上熟透的香蕉、剝掉皮的橘子、糖與桂花醬煮熟，吃的時候覺得又甜又香，吃完後嘴裡留下一點點酒釀的酸，讓人回味無窮。

南京雨花石湯圓則最奇巧，它源自潮州的小點心，以糯米糰加上可可粉或是抹茶粉，搓揉成像雨花石一樣紋理的湯圓外皮，並可搓成圓，略方，或尖，或扁，以此等不同的形狀來分辨其口味。

湯圓也可以油炸，必須用文火，溫度不要高，將湯圓裹上蛋清，並用牙籤在湯圓身上戳幾個小洞，以免油爆噴出來。炸好之後，放到吸油紙上去油，再裝盤食用。此時外層酥脆，內層還保有糯米的軟綿，裡面的餡料香甜暖胃，讓晚餐有個完美的句點。如果是無餡的圓子，油炸後蘸白糖吃也是一道素樸的甜點。

清明

「清明」約在國曆的四月四日至四月六日之間，此時正值大地回春，最適合全家外出踏青遊春，並掃墓祭拜表達孝思。

我公公為了他父親的健康，幼年時代在桃園鄉下曾獨自跑到墳墓進行「蓋魂」的儀式，我覺得他好勇敢，孝心感人。我公公的回憶錄中如此寫道：

　　『我十二歲那年，父親生病了，一直沒有好，母親只得陪他去住院。哥哥姐姐都在台北唸中學，只有我孤單在家。想起地理師曾對母親說，父親的病可能起因於伯母（父親的前妻）的墓地風水不好，在改善之前必須以「蓋魂」的儀式祈求父親康復。——所謂「蓋魂」，就是用稻草捆成束，覆蓋在墓碑上。

　　有一天下課後，我一直在想這件事，家裡沒有人在，是否該由我去完成這件任務呢？但想起墓地陰森森的，有點猶豫不決。看到日頭就快落山了，為了父親，我終於鼓起勇氣，出門去找伯母的墓。

　　到達墓地時，只見許多新舊墓碑夾雜在芒草堆中，風吹動著長長的芒草，好像鬼魂在招手。我彎下腰一個個找，怎麼都姓「姚」？——後來才知道不是「姚」，而是「妣」字（意指過世的女性，男性為「考」字）。

　　天快黑了，我又急又怕，終於在小河邊找到伯母的墓碑，高興得眼淚流下來。我跪拜在墓前，燒香向伯母報告父親生病的事，一直乞求她保佑父親早日康復，最後把帶來的稻草束覆蓋在墓碑上。完成儀式後，天已暗了，我快跑著離開墓地，回到家深深地吸口氣，心情好久才慢慢平復。在神桌前雙手合十，再一次向神佛祈求父親早日康復，我很高興完成這麼重大的使命。』

台
灣人很早
就有這樣的習俗：
如果家中有人生病，就
到祖先的墓前上香，祈禱祖先保
佑。普遍的中國人也深信，「陰宅」的風
水會影響家運與健康。而清明掃墓，更是我們對
祖先慎終追遠所發展出來的獨特節日。
「清明」是二十四節氣之一，約在國曆的四月四日至四月六
日之間。曆書記載：「春分後十五日，斗指丁，為清明，時萬物皆潔齊
而清明，蓋時當氣清景明，萬物皆顯，因此得名」。此時正值大地回春，花開
遍野，最適合全家外出踏青遊春，並掃墓祭拜表達孝思。
掃墓源自古代帝王將相的「墓祭」之禮，後來民間也予以仿效。古代墓祭始於農曆三月初
三的「上巳節」；後來「上巳節」逐漸演變為到水邊遊春的習俗，如杜甫詩〈麗人行〉首句「三
月三日天氣新，長安水邊多麗人」。
宋代以前，掃墓祭祖的主要節日是「寒食節」，時間在冬至後的一〇四至一
〇六天，相傳是春秋時代晉文公為紀念忠臣介之推而來。晉文公年少逃難
時，介之推曾自割股肉煮給他吃，但晉文公即位後，介之推攜母
避入深山不願當官；晉文公遂縱火要逼他出來，沒想到竟
把他們燒死。他深為自責，遂定介之推的祭日為寒
食節，前後三日不得升火，只能吃冷食。
由於介之推是抱著枯柳被燒死，家
戶也會在門上倒垂楊柳，或
把柳枝圈成柳帽戴在
頭上以示紀
念。

而寒食節所衍生的潤餅餐點，也成為
清明節的應景食品。由於上已、寒食、清明三個節日
時間相近，才逐漸演變成清明時節為故人掃墓的習俗。

台灣掃墓主要有兩種儀式：

一、「掛紙」：又稱「壓紙」，有替祖先整修居所之意。須先鏟除墓地的野草樹
枝，再以小石頭把長方形的紙錢（北部為五色紙，南部為黃紙或白紙），分別壓在墓頭、
墓碑以及墓旁的「后土」──土地公牌位，象徵子孫為祖先居住的房子增添新瓦，也表示墓
地有人來祭掃過。

二、「培墓」：這是比較隆重的祭墓儀式，如果一年之內家中有添丁、娶媳、購置田產等喜
事，就要進行培墓；初葬的新墓還必須連培三年，備極哀榮。

培墓要準備兩份祭品：一份以三牲（豬、魚、雞）祭拜「后土」，一份以五牲（另加鵝、鴨或鴨
蛋）祭拜祖先；另加十二菜碗及紅蛋、粿類、糕餅、酒水等。

接著是燒金。感謝土地公，祭拜后土要燒刈金。祭祖要燒四方金、壽金。新喪則要燒庫錢、往生錢、
銀錢。然後全家要圍在墳墓四周吃紅蛋，把蛋殼撒在墓地上，以示「新陳代謝」之意。如有添丁之喜，
還要帶一對「子孫燈」前往祭拜，再把蠟燭插於燈內點燃，帶回家置於供桌，象徵子孫興旺。

最後是放鞭炮，表示掃墓儀式完成。早期農業社會，鄰近的兒童聽到鞭炮聲會湊過來，掃墓人
家就分發拜過的紅龜粿給他們。紅龜粿不夠，就發錢，這種習俗稱為「揖墓粿」，意思是請附
近孩童幫忙看管墓地，不要隨意踐踏。但這種習俗現在已近絕跡。

現代社會土葬越來越少，很多是經由火葬，把祖先骨灰安厝於納骨塔。前往納骨塔
掃墓，儀式則明顯的省略了很多。而身在海外的中國人，清明節反而演變成家族相
聚的日子，很多人會在家人們的墓前野餐，有著另外一番景象。這種絡繹不
絕的掃墓人潮，說明了中國人不管在哪裡，都有著慎終追遠、感念先
人不忘本的承傳。

潤餅

一般人大多知道，吃潤餅的典故源於春秋時代晉國（今山西）的寒食節。歷經兩千多年的演變，潤餅文化在閩南地區發揚光大，農曆三月三日，清明節，甚至過年，各地都有吃潤餅的習俗。近幾年在台灣，還出現潤餅小攤或專賣店，想吃就買得到。潤餅既方便又可口，而且很健康，這是它受歡迎的原因。

我的朋友小如，每年冬筍上市的季節都請大夥到她家吃潤餅。她的潤餅，除了一般的配料以外，最重要的精華是那鍋悶煮了三天的冬筍滷。這碗滷放入大碗之前，碗內要先倒扣一個小碗，如此冬筍絲倒入後不至於全泡在湯汁裡，包入餅皮內才不會太濕，吃起來乾潤適度，筍香撲鼻。

潤餅一定要現包現吃，每一家的廚房都能做出獨特的口味，關鍵之處在於餅皮的勁道。台北士林有一家世代做餅的店，麵粉的比例是他的傳家之寶，我每次去買，看著老闆的手抓著一坨麵糰，好像重得隨時會垂下來，他卻能熟練的在熱燙的平板鍋上「擦一下」就夾起薄薄的一張，半斤裝一袋，不可封口，回家後要立刻用濕布蓋著，以免邊緣失水乾裂。介紹潤餅的食譜說餅皮用高筋麵粉做才會Q，但我照著做了幾次，就是做不出那家店的勁道。

潤餅的配料可自由變化，大致上有蛋皮、高麗菜、紅蔥頭、四季豆、胡蘿蔔、豆芽、韭菜、豆乾、芹菜、肉絲等，分別用一點點油炒過或是用熱水燙過。台南人還會加上唯一不是絲狀的皇帝豆。此外，花生粉、扁魚（是一種比目魚科，大約十公分左右長，油炸過打碎使用）、虎苔或是海苔等則是增加滋味的重要材料。花生粉總是第一層灑上的材料，有些會加上些糖；我們家除了上述外，還會加上風雞來提味。風雞就是用鹽與胡椒先在乾鍋內炒熟，然後抹到雞腿上按摩，蒸出來有一種略鹹的口味，用手撕成條狀搭配。有些人會在包以前在潤餅邊上塗上一層海山醬。

潤餅於清明時節吃，除了「寒食節」的典故，其實也因它很適於春天郊遊的野餐。杜甫詩〈立春〉首句即云：「春日春盤細生菜」；中國自古祭拜春神都要獻「春盤」，盤中放的是五種生辛菜：青蒜、小蒜、韭菜、芸苔、香菜，所以「春盤」也稱五辛盤。五辛的音也有五新之意，人們吃了立春前後新長的菜蔬，可調服身體五臟，蓄積生命能量迎接夏季的來臨。因此，以前的潤餅食材中，總有五辛配料。不過現在已不常看到小蒜、芸苔等配料，反而是海裡的植物「虎苔」成為重要的提味料。「虎苔」是一種很小的海藻，必須洗淨其內的細沙，然後用小火炒透，味道很香鮮。

　　郊遊之前，在家把潤餅的配料一一準備好，在野外包起來一捲一捲的吃，既有味覺與視覺的享受，變化多端的口味也勝過三明治，而且容易控制份量，不至於浪費。

　　拍照這一天，我還做了點酸梅湯與冬瓜茶，做為野餐的飲料。近幾年來，台北市仰德大道的林語堂故居每年都舉行潤餅節。林語堂是漳州人，很愛吃潤餅，妻子廖翠鳳是廈門人，很會做潤餅。每年的潤餅節，主辦單位請大飯店善做潤餅的廚師到現場，重現林語堂家的潤餅風華，並有舞蹈、南管的表演助興。文人雅士來參加潤餅節，除了藝文饗宴，也會請教廚師的訣竅或分享自己做潤餅的經驗。

　　林語堂故居的潤餅節，如今已成了台北市很受歡迎的春天活動。

金銀紙

文化

中國人一向敬天地、祀鬼神，舉凡年節民俗、祭拜祖先、普渡祭祀、敬神禮佛、驅邪鎮煞、祈安求福、謝恩還願，幾乎都會燒金拜拜，祈求消災解厄。金銀紙文化得以流傳數千年，在於它能傳遞並維繫民俗信仰與生活方式，而且能求取心安。

習俗上而言，金銀紙是中國人認為通行於陰間的貨幣，也稱冥幣，是人為了表達關心而燒給鬼神使用的。東漢蔡倫發明造紙術後，中國即開啟紙錢祭祀的文化，並從唐代之後逐漸盛行，進而衍生金銀紙的形制。宋代發行紙鈔後，民間開始模仿製作有圖案的金銀紙，奠定現行金銀紙的基礎。

冥幣分成金紙、銀紙與紙錢三種：

金紙：又稱「神紙」，是燒給各種神佛使用的。它的正面裱有錫箔，錫箔上塗金油，且正面和側面都蓋紅印。種類則分為天金、壽金、刈金、福金……等，名目繁多，主要是依照神佛的階級來區分。

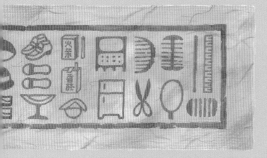

銀紙：又稱「冥紙」，用於祭祀祖靈、鬼族。它的正面裱有錫箔，但不漆金藥，正面也大多不蓋紅印。種類主要區分為大銀、小銀；大銀是用於祖靈及入殮，其他則用小銀。

紙錢：又稱「準金銀紙」，種類與樣式繁多，通常會以圖案與印文表達用途；大多是佛道法師於消災解厄、超渡法事之用。

我記得父親過世要出殯的前幾天，很多親友們聚集在一起，有的叔叔伯伯還帶著自己的毛筆來寫輓幛或輓聯，以詩詞描述逝者的風範或表達對逝者的緬懷之情。而阿姨伯母們，則圍在一張大桌子前，用銀色正方型的錫箔紙摺元寶，摺到一個數量就裝進一個大的紅色袋子裡，袋子的正面右方印了「省縣」，要填上逝者的籍貫，中間印了「收用」，要填上逝者的姓名與稱謂，左下方則印上「陽上」兩字，要填上自己的名字。

後來我們每年去父親墳前掃墓時，都仍照著同樣的規矩，帶很多大紅信封去燒給父親。現在的錫箔元寶可以買現成，不需自己摺了。每次我跟孩子們解釋這件事時，他們都很好奇的想知道：這些信封燒掉後，會有信差把它們送到父親江蘇省宜興縣的老家嗎？他老人家是否真的會在雲端收到呢？我只能對孩子們說，這樣做主要是求得自己安心，其他的也許是一個說不清楚的民間習俗吧！

中國人的

農民曆

●斗指壬為雨水，時東風解凍、雪皆散而為水，化而為雨，故名雨水。

國曆星期	16 星期二	17 星期三	18 星期四	19 星期五	20 星期六	21 星期日	22 星期一	23 星期二	24 星期三	25 星期四	26 星期五	27 星期六	28 星期日
重要紀事	天德 時五福香 時入中宮	蠶食四葉 大姑把蠶	麒麟	歲德 獺祭雨 今日雨水	月德合 人日瑞彩 天曹遷賞	天德合	◑上弦辰 正08 42 48	十龍治水	侯雁北 歲德合 時五福卯 時入艮宮	月德 丑亥二時 貴人登天		子亥左輔 聖人登殿	二元四上元○ 時五福子 時入巽宮
農曆	初三	初四	初五	初六	初七	初八	初九	初十	十一	十二	十三	十四	元宵 十五
干支	丁酉	戊戌	己亥	庚子	辛丑	壬寅	癸卯	甲辰	乙巳	丙午	丁未	戊申	己酉
納音	火	木	木	土	土	金	金	火	火	水	水	土	土
飛星	七赤	八白	九紫	七赤	八白	九紫	一白	二黑	三碧	四綠	五黃	六白	七赤
建除	危	成	收	開	閉	建	除	滿	平	定	執	破	危
星宿	觜	參	井	鬼	柳	星	張	翼	軫	角	亢	氐	房
卦象	九四 屯	六一 頤	二二 復	九二 姤	三一 大過	七九 鼎	七八 恒	中五 禽	三七 巽	三四 井	七六 蠱	六二 升	八三 訟
每日喜忌	宜 祭祀嫁娶出行裁衣修造動土開市納財破土安葬祈福納采開光安門入宅入殮啟攢 ●忌作灶安床	宜 宜破土安葬 ●日逢受死日不宜諸吉事	宜 祭祀栽種牧養納采裁衣安床 ●忌安葬作灶（刀砧）	宜 祭祀祈福出行納采裁衣嫁娶開市立券交易 ●忌安葬入宅（刀砧）	宜 祭祀祈福入殮啟攢安葬 ●忌入宅作灶○七日得辛○七牛耕地○	宜 裁衣合帳開市立券交易納財牧養啟攢安葬安床入殮 ●忌動土嫁娶（勿探病）	宜 出行立券交易破土啟攢祭祀開光祈福納采裁衣合帳修造動土安床入宅開市納財入殮安葬	宜 祭祀裁衣祈福嫁娶安床 ●忌開市安葬	宜 平治道塗作灶 ●忌栽種安葬	宜 祭祀嫁娶裁衣出行移徙修造動土開市納財破土安葬祈福納采開光安門安床入殮啟攢 ●忌作灶	宜 祭祀出行裁衣修造動土納財安葬祈福納采嫁娶拆卸安門安床入殮破土啟攢 ●忌作灶開市	宜 宜祭祀破屋壞垣 ●日逢月破日大凶大耗不宜諸吉事	宜 祭祀破土安葬祈福出行裁衣出火拆卸修造動土安門入宅開示入殮啟攢 ●忌嫁娶安床
每日吉時	辰巳午酉	卯巳午未	寅卯午未	辰未申酉	寅巳午申	子卯巳午	卯巳未戌	寅未申酉	寅卯申酉	巳未酉戌	卯巳午酉	丑辰巳午	辰巳午申
每日財神	正南 正西	東南 正北	東北 正北	西北 正東	西南 正東	正南 正南	東南 正南	東北 東南	西北 東南	西南 正西	正南 正西	東南 正北	東北 正北
每日沖煞	沖兔60歲煞東	沖龍59歲煞北	沖蛇58歲煞西	沖馬57歲煞南	沖羊56歲煞東	沖猴55歲煞北	沖雞54歲煞西	沖狗53歲煞南	沖豬52歲煞東	沖鼠51歲煞北	沖牛50歲煞西	沖虎49歲煞南	沖兔48歲煞東
每日胎神	倉庫門房內北	房床棲房內南	占門床房內南	占碓磨房內南	廚灶廁房內南	倉庫爐房內南	房床門房內南	門雞棲房內東	碓磨床房內東	廚灶碓房內東	倉庫廁房內東	房床爐房內東	占大門外東北

雨水

日出：六時二十六分

台灣丑時二時三十五分

日沒：十七時五十分

種植

北部：米豆、絲豆、烏豆、番椒、蕹椒、結球、萵苣、石刁柏、白豆、紫蘇

中部：番石、白豆、絲瓜、紫蘇、烏豆

南部：白筍、蓮藕、絲瓜、紫蘇、石刁柏

漁撈

新港：釘鮸

安平：白帶、沙魚、馬鮫

高雄：石鯽、釘鮸、沙魚、鯔魚

每年年初，我都會在書架上放兩本新的「農民曆」，遇到需要選擇好日子的時候，就可以派上用場。我想許多人和我一樣，都以「農民曆」作為擇日的參考。其實擇日並不是甚麼迷信，這是我們文化中的寶貴的承傳，我只用來擇日使用還真是很丟臉，其中的陰陽五行學問廣大，我們卻只懂得選最簡單的一個功能在使用。

目前坊間的「農民曆」版本眾多，我通常會選用「三元」與「三合」兩個版本。聽長輩說，其中一個版本為皇室所使用，為了避免曆書中的智識流入民間取而代之，所以特別改編另外一個版本給老百姓使用。市面上的曆書內容經常出現差異，以兩、三個不同版本相互比較，讓人覺得比較安心。

「農民曆」是全世界最暢銷的書籍之一，光是台灣一地，一年的印製數量就超過六百萬本。它是「中國人的生活聖經」，不僅把老祖宗的生活智慧傳承下來，也一直深深影響著我們的家庭、生活和工作。

古早的中國是遊牧生活，以狩獵為主，至堯帝時期才漸具農業社會雛形。為了有利於農事的進展，提供農民播種收成的參考，精確掌握大自然變化的「農民曆」遂應運而生，在科學與資訊不發達的時代，扮演著氣象局、農委會的角色，提供天文曆法的知識，也是傳遞訊息的一種媒介。

「農民曆」初創於距今五千多年前的夏朝。漢武帝太初元年，頒布統一採行「夏曆」，而一直沿用至今，也稱為「黃曆」，又叫「通書」。相傳曆法乃黃帝所創，「黃曆」是「黃帝曆」的簡稱。另有一說，「黃曆」是古代帝王授權欽天監所制，由皇家發行，且以黃色為外裝，故名「黃曆」。清朝初年，民間私印非常猖獗，乾隆皇帝因而順應民情，於乾隆十六年（西元一七五一年）准許民間翻刻官印「黃曆」，不必再蓋欽天監印信，以利農民廣為使用，迄今也已二百六十餘年。

台灣的「農民曆」，大多根據福建泉州「洪潮和」流派的通書內容，不斷的加以擴編印行。即使在科學實證主義盛行的今天，「農民曆」所傳承的經驗法則，在華人世界仍然屹立不搖，至今仍是民間信賴的生活手冊。而「洪潮和」的運作體系，更是今日加盟業與流通業的開端，其歷史與背景也是值得推敲的另一個民間活動。農民曆的學問，浩瀚淵博，要讀通它，不是件容易的事。據說台灣目前有將近十萬人，精通於此道。每次翻閱農民曆，我總好奇於到底這張表在說些甚麼，於是找了很多本黃曆比對，欄位都不太一致，索性將所有出現的都列出來。

在農民曆的日期星期下面，有一欄「重要紀事欄」，不同的農民曆有不同的註解。樣本中記錄的有「月支神煞」，神煞是一個吉象或兇象的表現。這是一組排列出來的組合。此欄位有時有跟收成月亮天候有關的訊息，有時有各種與神有關的記載。

相對於西洋曆以「月、日、星期」記載日期，「農民曆」則以「天干」、「地支」來記載年、月、日、時。欄位上會有一欄「干支」記載。「天干」就是甲、乙、丙、丁、戊、己、庚、辛、壬、癸，代表了天地之間所有的時間順序；「地支」則是子、丑、寅、卯、辰、巳、午、未、申、酉、戌、亥，代表了天地之間所有的空間順序。再將「天干」、「地支」排列組合後，又可以得到六十種組合，也就是從「甲子」算起，到「癸亥」，正好是六十組變化，也就是中國人常說的「一甲子」，

以此周而復始。所以，曆法上表示的「年干支」即每六十年為一輪；每逢有人過六十歲生日，會有「還曆年」的説法；「月干支」即由六十個月循環一次；「日干支」即由六十天循環一次；「時干支」即由六十個時辰循環一次，一天十二個時辰，五天為一輪。

「五行」欄位 —— 金、木、水、火、土 —— 則代表宇宙萬物的五種動力與變化，有著往上升、往下降、往中心凝聚、往四方放射、往左右移動的現象，「農民曆」中，日干支下的五行，是根據古代流傳下來的「納音」法則來標示。納音是「宮商角徵羽」五音，因此，「五行」之間的相生相剋加上季節還有氣候所產生的興旺衰竭變化，既清楚的説明了時間，也反映了天地運行的邏輯。

「飛星」即一白、二黑、三碧、四綠、五黃、六白、七赤、八白、九紫，為堪輿學常用的流年飛星。

「建除十二神」是為擇好日、求好運的欄位。「農民曆」中半數以上的欄位，都是為了説明吉凶忌宜，其中的「建除十二神」，藉以提示當日的忌諱。十二直之忌分別是「建日不開倉，除日不出財，滿日不服藥，平日不休溝，定日不作辭，執日不發病，破日不會客，危日不遠行，成日不辭訟，收日不遠行，開日不送喪，閉日不治目。」

「二十八星宿」欄位，跟西方的「十二星座」類似，中國古代研究天文，以二十八星宿標示恆星群，並依照東、西、南、北四個方位而分為四組：東方蒼龍七宿、北方玄武七宿、西方白虎七宿、南方朱雀七宿。這二十八星宿，輪值於年、月、日，周而復始，運轉不停。由於星宿的運行影響著天地萬物之興衰，於是二十八星宿常被拿來作為擇日及預測吉凶禍福的參考資料。

「八卦圖陣」欄，主要是提供堪輿學家或是卜卦巫家所使用，由於牽涉的學理廣雜，一般人很難一窺其中堂奧。

「宜」和「忌」欄位，因為容易解讀，所以較被廣泛運用，作為擇日的參考。「宜」和「忌」，以紅色和黑色的字體加以區別：紅者為「宜」，黑者為「忌」，我選擇日子，頂多就是看這一個欄位，分別針對婚姻、搬遷、生活起居、祭祀、死亡、工商買賣、農林漁牧等進行敘述。

「每日吉時」、「每日財神方位」、「每日肖年齡沖煞」、「每日胎神」等，都是「趨吉避凶」相關的欄位。至於「每日兇時與吉時」則是婚喪喜慶擇吉時辰的重要參考資訊。因為中國人常有「不要犯沖」的心理，所以重要的日子，總不忘參考書中對「忌宜」的記載，作為決定的依據。

「農民曆」條目繁細，甚具實用性。除了前面所説的基本內容外，隨著時代的改變，內容也因應生活的需求配合增補，不同的版本還提供八字解析、生肖運勢、面相與秤骨算命術、星座、食物生剋、生活小常識、不同的儀式須知等等。而台灣的「農民曆」更配合北、中、南三地不同的氣候變化，加註了不同節氣適宜種植的蔬菜種類，讓有心栽植的人參考運用。如果看到在節氣的下方，有一段時間的説明，則代表那個節氣開始的時間，準確度是以秒計算的。

「農民曆」見證了中國人的智慧。相對於西洋的太陽曆，農民曆則結合了月亮盈虧的陰曆、月亮與四季天候的農曆、月亮與太陽兩類曆法的陰陽曆，提供給我們依循潮汐、節氣與天象法則的資訊，展現天地萬物合一的宇宙哲理。

主食

六食

米與中國人

每一個中國人，大多會背唐朝李紳這首〈憫農〉的詩：「鋤禾日當午，汗滴禾下土。誰念盤中飧，粒粒皆辛苦。」師長教我們背這首詩時，都告誡我們要珍惜食物，不可浪費。有的父母則會以比較婉轉有趣的方式，告誡飯沒有吃完的小孩說，以後長大會娶（或會嫁）一個麻子臉的太太（或先生）。──我一度也曾沿用這種方式。

我的三個孩子，小時候吃飯都很慢，晚餐對我是一段長期奮戰的時間。尤其是老三，常常把飯含在嘴裡，睜著大眼睛發呆，半碗飯往往要吃一個多鐘頭。他的姊姊哥哥好不容易吃完離開了餐桌，我邊收邊洗邊哄邊罵，收得差不多還得捲起袖子跟他繼續奮戰。我對他說：「小元，你一定要吃完飯，碗裡不要剩東西，不然你以後娶的太太會是個麻子臉！」為了加強效果，我還把麻子臉畫給他看，他看完瞪著我臉上的雀斑，大概以為他爸爸小時候也是沒把飯吃完，才會娶到我這個「麻子老婆」吧？

這句話的版本有時也會更改，譬如娶到一個巫婆或一隻母老虎等等，總之既有想像的趣味，又兼有恫嚇的效果。有一天又剩我們兩人奮戰，他大概知道我又要說甚麼，突然問我：「媽媽，我的太太在哪裡？」我聽了大笑不止，他卻一臉茫然。

小元從小是個很安靜的孩子，從不吵鬧，心腸柔軟，脾氣好得讓我們心痛；姊姊哥哥說話又快又多，也都輪不到他講話。每次他用那雙大眼睛看著我們四人對話，終於輪到他可以發言了，還沒講到重點又被姊姊哥哥打斷了！我們嘲笑他會娶到一位很兇的麻子太太，或是母老虎，或是巫婆，他也不以為意。他爸爸還笑說，將來小元家的車庫，要有設計給巫婆放掃把的地方……。好脾氣好心腸的小元，就這樣活在我們開玩笑的世界中。

有一天我們吃麵，又剩下他一個人沒吃完，我又一邊收拾一邊說：「小元呀，乖，快吃完，吃不完會娶個麻子臉太太哦！」我收拾完再坐回他的娃娃椅邊，他又用他的大眼睛盯著我問：「媽媽，飯吃不完會娶個麻子臉太太；那麵吃不完會娶到甚麼太太？」我實在是又好氣又好笑，於是拿了張紙，畫了隻老虎，說麵吃不完是一條一條的虎巫婆呦！他點點頭，硬是把麵一根一根的吸進嘴吃完了。有一天小元又問我：「媽媽，暴龍最厲害對不對？」我說對啊，他說，那暴龍可不可以吃掉虎巫婆？我聽了不禁一愣，驚覺到可憐的小元每天活在那碗吃不完的飯的陰影下，同時也自責玩笑開得太大了。

飯碗裡不能剩下飯菜，浪費食物罪上加罪，這是中國父母一致認同並身體力行的。小時候，我認識一位虞婆婆，每次跟她一起吃飯，她總是細嚼慢嚥，吃完還會在碗裡倒入一點溫開水，把黏在碗內的碎米飯攪和一下，再把水喝完。她告訴我，這樣子下輩子還會有食物吃。她惜物的姿態給我留下深刻的印象。現在常看到浪費的餐後畫面，虞婆婆端起那碗水緩緩喝下的畫面就會出現在我面前。

由於地球暖化日益嚴重，氣候變化影響植物生長，而土地過度利用，違反自然的農耕法則，使得世界許多地方面臨糧食短缺的窘境。最近看到報導說，將利用科技研發奈米食物，以減少人類對食物的需求量，看來似乎是解決的方法之一，卻也是人類最大的諷刺。民以食為天，這個基本的生存法則已經遭到威脅了。

中國人大多以米為主食，不同省份的人又對他自己家鄉的米種有不同的依戀。台灣有很先進的農業改良技術，對不同的作物進行科學化的改良與記錄。在米的方面，研發了稻米秧苗，教育農民，協助執行等，成績斐然是舉世聞名的。吃米雖然有在地的習慣，但沒有一地像台灣能同時擁有各種不同種類米種的種植技術，造就我們飲食文化的多元性。我的成長是三餐飯大概都有米，只有出國時，才了解自己對米是多麼的依戀。出國幾天我最想念的是一碗人間上善的白粥，稠稠的溫柔的暖我的胃。

米除了煮成白飯作為平日的主食，還可以做成飯糰、竹筒飯、粽子，不同形式的炒、蒸、煮、燴等方式，還有粥類、鍋巴焦米、酒釀等。米可加工磨粉，成為米漿、粉片，製作成糕粿點心類、湯圓類，還可以餅、塊、卷的形狀呈現，林林總總，真是豐富極了。

米的粉不像麵粉可以靠發酵來製作，所以在製作加工時，研磨與摻水及不同黏性的比例參雜是關鍵，產生的粉有糕類粉糰、團類粉糰、發酵粉糰等等的差別。其中比較特殊的是秈米粉，加輔助材料後可保溫發酵，製作成各類的鬆糕。米磨成粉則分成乾式與濕式，乾式有時還會經過炒米，則為熟米粉或糕粉，吸水性較強。濕式水磨，則要先泡米，連水磨成漿，再脫水烘乾，質地細緻。此外人工石臼舂法已經不多見了，古早都說這是最好吃的米製粉。

米食的加工品，各地稱謂不同。客家人稱粄，台灣人則稱粿，台灣還有碗粿、米苔目、肉圓等別緻的點心；此外各地還有不同方式的年糕、粽子；蘇州人有精緻的船點；江西雲南人的米線；東北人的小米稀飯；嶺南的河粉、廣東人的粥、煲仔飯、粉果、腸粉、茶果；以及白糖糕、米果等，仔細推敲，都可以追溯我們祖先的精緻生活藝術。

現在市面上可以買到現成的粿粉，實是家庭主婦的福音，只是成品需馬上吃完，因為放久就硬掉了。以前的時代是以鮮米磨成粉，製作的糕點能存放得久一點。

台灣最早期的米是原住民種的小米，明清時代的先民從福建、廣東一帶帶來了秈稻米，也就是現在我們吃的在來米，又名秈米，又叫機米。日本統治台灣期間，研發了較黏的粳稻，也就是我們現在吃的蓬萊米，又名粳米，也有人稱大米。還有糯稻，就是糯米。台灣的農業改良技術，使粳稻的生產量逐漸提高，蓬萊米變成栽培的主流，也成為我們的主食。之後又研發出半矮性秈稻，生產出全世界知名的奇蹟米，並推廣至印度、東南亞、非洲等地廣泛種植。還有香米，是種植時的技術，使米有一種芋香味。近幾年時興的有機鴨間米，強調每年只收成一期，讓土地可以得到休息；養鴨於其間不但利用鴨子除蟲，也利用其排洩物作

台灣最早期的米是原住民種的小米。

明清時代的先民則帶來了秈稻米，也就是現在我們吃的在來米，又名秈米。

日本統治台灣期間，研發了較黏的粳稻，也就是我們現在吃的蓬萊米，又名粳米。還有糯稻，即⋯

為肥料，既不灑農藥也不施用化肥，是一種講究環保的種植態度。最近還研發了高營養的發芽米，各地生產的比賽米等等，品類非常豐富。

雖然科技發達，但若現在去一些原住民部落，還是會看到他們對品種篩選的慎重態度，從選拔到固定品系等等，所花的心力是現代科技所不能「複製」的。

稻米的生產是一個高難度的種植技術，水稻或是陸稻都有它特殊的生長習性。除了從精緻的整地開始，接下來的育苗、插秧、除草、施肥、灌溉，都要兼顧地形的排水性，及控制病蟲害，需要隨時隨刻的照顧。育苗從選擇稻種開始，經過浸種、催芽等繁複的過程才能進行播種，再等它長出兩三葉時，才到插秧的階段。兩到三次的施肥與灌溉約要七十幾天，水稻在這期間經歷成活、分蘗、幼穗形成、孕穗、抽穗與開穎花等時期。開花時花藥會吸水破裂使花粉掉落，之後再經過乳熟期、糊熟期、黃熟期與完熟期後，即可以收割。收割後又需要脫粒、篩穀、乾燥、裝袋，最後才能碾成食用的白米。總共需要五、六個月的時間，真的是粒粒皆辛苦的過程。

在來米又有軟硬之分，硬的需要加較多的水煮，煮出來的飯較乾硬鬆散，軟的則比較像蓬萊米，通常會給老人家或腸胃不好的人食用。在來米可以做台灣小吃碗粿、河粉、米粉、米苔目、粄條，有時也和糯米對半摻和，做成菜包及紅龜粿。蓬萊米是台灣人普遍愛吃的白米飯，飯粒比較Q且有點黏性，是做米果或是寧波年糕的素材。但在我們家，如果要用蓬萊米煮稀飯，一定是先把米煮成飯再熬稀飯，長輩說否則會傷胃。但一般人大多以生米直接煮成粥。

糯米又稱為江米，也有人稱為元米，容易糊化，在煮的時候加的水量則更少，濕軟甜膩，適合做成酒釀，圓糯米可以做鹹粽或麻糬類；長糯米又稱尖糯，則用來做飯糰、米糕、油飯、粽子等。

米還可以做紅麴與酒麴。紅麴是菌於蒸煮過的米粒上，生長形成的發酵食品。中國人自明代就有紅麴醫療功效的記載；「紅麴釀酒，破血行藥勢」，說明它是一種保健食品。但它的生長速度緩慢，培育過程稍有不慎即很容易被繁殖迅速的其他雜菌污染。明代李時珍讚美紅麴的培養「乃窺造化之巧者」，可見所需要的功夫非比一般。

酒麴又稱酒藥、酒母、酒餅或白殼，是由糯米發酵而成。培育酒麴需要特定溫度及濕度的控制，又因酒麴是由穀物粉做成，各家配方不同，品質也不相同，好的酒麴必須每顆秤重是一樣的。製作過程中，捏揉的力道必須適中，慢慢將穀物粉捏成圓形。好的酒麴，做出來的酒釀有特殊香氣，甜而不膩。

米酒則以米為原料加入菌種經過發酵後製成酒膠，蒸餾提高酒精的濃度即成米酒，酒精含量20～35%；所以純正的米酒是釀造蒸酒，廣泛的應用於我們的生活中，這些都是老祖宗留下來的生活智慧。

小的時候，我在廚房分配不了別的工作，但可以幫著洗米煮飯。媽媽告訴我，洗米動作要快，要在米開始吸收水分前洗完，養分才不會流失，之後即讓米粒浸泡在水裡，經過一兩小時後才煮。如果臨時有客人要來，則用溫水浸泡。洗米水還會留下來做不同的用途，有一次還拿去煮豬肉呢。煮飯的水，要把手掌平放在米上，讓水蓋過手背。那時沒有電鍋，我們家都用砂鍋在火上煮開，這火要大但不要過猛，等沸滾轉成文火後，過一陣看看水快乾了就關掉火，讓熱度自然燜乾過多的水氣。吃完飯後，如果有剩飯，就把剩飯薄薄的鋪於平底鍋中，以小火慢慢把飯烤成微焦，有時還爆出焦脆的聲音，滿屋子都是鍋巴香。第二天一早，烤好的鍋巴熬煮成鍋巴稀飯，配點小菜或剩菜，那是老時代老廚房的魅力。直到今天，我還聞得到那米飯的焦香，也懷念著那鍋巴稀飯的糊香。

現代飲食營養不平均，營養學家大力倡導除了生病的人以外，可以多吃未精白的穀物，選擇米飯，需要看自己的體質來搭配，這其中也有相剋的學問，這個觀念當應用於以米為主食的家庭中。若白米搭配糙米煮飯，糙米先浸泡，讓米麩泡軟才不傷胃，大約的比例可取白米兩杯、糙米一杯、搭配的水約三又四分之一杯。米的保存也要注意，若是買五穀米，真空包裝打開後，可能放在冰箱比較妥當，以免各種米類保存方式不一而產生質變。

我們都知道，剛結穗未飽滿狀態的稻穗是挺直腰桿理直氣壯的，而飽滿成熟的稻穗是低下頭的，這也很像做人的道理。唐朝布袋和尚有首詩：「手把青秧插滿田，低頭便見水中天；六根清淨方為道，退步原來是向前。」聰明的稻米除了豐富我們的飲食文化，還傳遞了做人處世修身的訊息，身為中國兒女，當知珍惜與感恩。

【 蓬萊白米 】

蓬萊米是台灣人慣吃的白米飯，為粳稻，含80%的支鏈澱粉與20%的直鏈澱粉，稍有黏性，吃習慣了後會覺得其他的米比較乾。

【 發芽米 】

發芽米則是一種新興的米種，利用無污染的良質米作為原料，以恆溫方式促進糙米發芽，使得在糙米中所沉靜的「酵素」，經過充分的活化與生物轉換，不僅超越原本糙米的營養價值，而且能與白米的口感一致。

【 圓糯米 】

圓糯米為粳糯稻，含有95%以上的支鏈澱粉，黏度最高，可用來做酒釀、年糕、粿、湯圓與麻糬等點心；但對腸胃不好的人則會造成負擔，不可多吃。

【 長糯米 】

長糯米為秈糯稻，黏度低，可磨粉做成各種台灣小吃。

【 原鴨生態米 】

原鴨生態米是利用大量養鴨來抵抗福壽螺侵害稻米的食物鏈種植態度，生態保育下因為少了農藥，所以多了健康。

【有機糙米】

糙米因帶殼，有可能會殘留農藥，最好選購有機栽培的，有些利用日曬製成的更是理想。煮的過程需要充足的水，要讓米吸飽水分需要長時間的浸泡，才不會煮成乾巴巴的感覺。糙米保存最完整的稻米營養，用糙米、胡蘿蔔、排骨熬米湯給孩子吃是很普遍的。

【在來米】

在來米為秈稻，沒有黏性，是做米粉、蘿蔔糕或是炒飯很好的材料。煮飯的時候要加上一倍以上的水量。

【有機胚芽米】

不習慣糙米的口感與嚼勁，也不喜歡白米的柔軟與綿密，則可選擇胚芽米的適中口感。碾製胚芽米卻是需要專注與耐心，只要一個小細節不對，很容易就碾成白米了，因此胚芽米有種量身訂做的感覺。煮飯時加入水的比例約三比二倍。

拌炒

我們那一代的留學生出國，許多人第一個要學的是煮飯，第二個要學的就是炒飯。有些人還沒學會炒飯，就先以豬油拌飯充饑。在中國料理食材不多的異國，能夠吃盤青椒牛肉絲炒飯或蛋炒飯，都是足以聊慰鄉愁的。

豬油拌飯當然比蛋炒飯簡單，中國家庭的孩子，幾乎都有放學回家先吃一碗豬油拌飯的記憶。講究一點的豬油拌飯，飯要微硬乾鬆，醬油最好有點甘甜，不要太鹹，如果是用燒臘店滴下來的豬油來拌則更香濃；有些人還會加上一點雞油。這三樣條件說來簡單，要成全到滿分並不容易。不過理論抵不上實際，肚子餓的時候，口感的滿足最重要。

至於炒飯，我覺得沒有好壞，只有習慣。有人喜歡用在來米乾硬一點粒粒皆清楚，有人喜歡用蓬萊米軟一點，有人用糯米。有人要冷飯，有人要隔夜飯，有人要用冷水沖飯。有人先炒蛋，有人先炒飯；有人要達到「金裹銀」的效果，有人要看到黃金蛋塊……。總之，一堆的博士論文，都比不上自家端出的那碗彌足珍貴的蛋炒飯。

我家小阿姨的蛋炒飯最對我的胃口。她一定先把蛋從冰箱拿出來醒一下，回復到室溫才開始打到有點起泡。她的蔥不留在飯或蛋上，只在油裡炒出去腥的香味，就把三分之二的熱油舀起來放到小碗，然後倒下蛋汁，待邊緣起泡後，用鏟子把邊緣往上提，繞了一圈再把碗裡的熱油一點一點淋下去。此時趁蛋還沒有完全成型，還有一點點油之際放下白飯，再把蛋翻個身，白飯到了鍋底，整一片蛋在上面，讓飯吃了點鍋底的油，也吸了點蛋上的油，再用鏟子把蛋切成不很整齊的塊狀，好像手撕出來的樣子。然後再跟白飯翻幾翻即可熄火，在鍋裡稍微躺一下再起鍋。

她的蛋炒飯，黃白相間，比例很對稱，就只兩個純粹的材料，吃的到鑊氣足，翻炒勻的單純，而蛋切的大氣，又有一種華麗的氣質，在外頭是吃不到的。

很多人覺得炒飯是廚藝的表現，揚州炒飯的「標準」是五百克米配四個蛋，另外配十四種材料，我則覺得那麼多料反而不是廚藝可以發揮的；其他如蝦仁叉燒揚州炒飯、蝦仁干貝炒飯、鹹魚雞粒炒飯，需要猛火快炒才好吃，一般家庭很難做得好。

其實，自家冰箱有什麼材料，隨機搭配炒在一起，加點瓶瓶罐罐裡自己喜歡的佐料，就是一盤很自在可口的家庭炒飯。

台灣人的生命禮俗有「三朝洗兒油飯香」，即嬰兒出生的第三天，需以「麻油雞酒」與「油飯」祭祖，贈送親朋好友。油飯要用圓糯米與長糯米，以1：4的比例混合，蒸熟後再以豬油、高湯、肉絲、香菇、蝦米、紅蔥酥等主要材料拌勻。親朋好友吃到這樣豐富的台灣油飯，無不滿心喜悅，默默的為初生嬰兒祝福。

炊

蒸

　　全世界的華人大多承認，大同電鍋是偉大的發明，省去多少人顧著瓦斯爐、電爐或火爐上那鍋飯的時間。

　　台灣的留學生，很多人出國前不會煮飯，人人拎個大同電鍋出國，照著說明書洗米加水，開關一按就可以等著香噴噴的飯。許多新娘子出嫁，也都買個大同電鍋陪嫁壯膽。雖然後來日本發明了電子鍋，很多人還是比較依賴簡單、實用、耐用的大同電鍋。

　　電鍋的用途，既可以蒸，也可以煮；內鍋拿掉擦乾鍋底，還可以烘烤。我出國念書時，用大同電鍋煮飯，米裡放進台灣香腸，就是簡單的臘味飯，放進切碎的青江菜，就是菜飯，既好吃方便又能解鄉愁。

　　臘味飯的材料，可以簡單也可以講究，每個人的喜好不同。最近幾年我偏愛香港鏞記或蛇王芬的臘腸（瘦肉加肥肉）或潤腸（鴨肝加肥肉），將電鍋內的飯煮到一個程度再加進去就好。上桌前，視狀況淋點溫熱的淡醬油，臘味的油香融入熱飯裡，吃的時候用點力道咬碎腸衣，咀嚼裡面的肥瘦肉，再咀嚼飯粒，一層層濃香撲鼻，真是過癮極了！家裡的冷凍庫，最好存點好的臘味，偶爾想犒賞一下自己，只要放進電鍋就可以了。

　　電鍋也可以做糯米飯，如台灣人冬至吃的麻油雞飯或桂圓飯。但婚慶喜宴上的紅蟳米糕，則都在傳統的蒸籠上蒸。米糕通常要蒸得軟硬適中，在上面鋪上蝦米，香菇，紅蟳。端上桌來，紅蟳蟹肉扎實，米糕香而不膩，色澤分明且充滿喜氣。

　　糯米雞或糯米鴨，必須整隻料理，把拌好作料的糯米緊緊塞進腹內去蒸，就是十二人份的電鍋，大概也無法代勞，必須規規矩矩放進蒸籠裡，小心翼翼顧著它。

燴

煮

　　滷肉飯和焢肉飯，大概是台灣最大眾化的飲食。台北士東市場豬肉攤的老闆娘告訴我，滷肉飯的肉，最好是四分豬後頸肉搭配六分五花肉，或三分豬後頸肉搭配七分豬後腿肉，細切粗斬之後，以豬油爆香紅蔥頭，配以醬油、冰糖、八角、桂皮等熬煮，飯則一定要用蓬萊米。標準的吃法是米飯淋上帶汁的滷肉，配一片黃瓜或酸菜、滷蛋。許多在外工作或讀書的人，就是這樣吃了一頓中飯。對於生長於台灣的我們，「滷肉飯」三個字有著像親娘一樣的感情。焢肉飯的配料與做法，和滷肉飯差不多，不過焢肉用的是五花肉，必須整條滷好，要吃的時候再切片。南部的肉燥飯，跟滷肉飯一樣，選擇豬最精華的部位，因為後頸肉經得起長時間的熬煮，之後放入甕罐中，放幾天，目的則是要讓這熬煮過久的肉慢慢甦醒過來。

　　南洋風味的海南雞飯，也是大眾化的飲食，現在香港、台灣都可以吃的到。每次點海南雞飯，我都會向店家多要點蔥薑茸，甘潤的雞肉吃起來多了一層辛香的刺激。長米做的飯雖然硬一點，因為拌著雞油香，入口更有咀嚼的勁道。另外，滑蛋牛肉飯和牛腩飯，只要牛肉處理得好，也是很簡便可口的燴煮食物。

　　燴煮是家庭主婦急就章時的好幫手。滷肉、焢肉，紅燒牛腩等燴煮的肉類，都可以事先做好，分成小包存在冷凍庫備用。選個周末的上午，做上一大鍋，就有個篤定的心情迎接下一周，任何時候孩子餓了，很快就可以有一碗好吃的東西滿足他們的腸胃。

一. 粽子

　　台灣粽一般分為「北部粽」與「南部粽」，前者在包裹前會先將內餡炒香，然後把包好的粽子放入蒸籠「蒸」熟；後者則是把生糯米和花生均勻混合，用竹葉或月桃葉包紮後，放入大鍋「煮」熟，吃的時候再淋上醬料。至於粽葉，則有綠色與黃色之分，綠葉多半是麻竹的葉子；而黃色則是桂竹的「竹籜」，所謂「竹籜」就是用來保護幼竹的筍殼。

　　粿粽是看不到米粒的粽子，用五份糯米一份在來米配以絞肉、蝦米、香菇、紅蔥頭等；鹼粽則是另一種全然不同的風味。糯米加入鹼粉或鹼水糊化，與沙拉油拌勻，或者是用泡開的茶湯與糯米一起攪拌，當糯米呈現金黃色澤後，再以粽葉包裹而成。鹼粽不能包太大，也不能太緊，才能保留鬆軟綿晃的秀氣質感；煮的時間需要四個小時，煮時要在水裡加點油，煮好之後，放涼或冰過，沾著白糖入口，軟Q有咬勁，口味清爽別具滋味。市面上賣的鹼粽，為了使口感更富彈性，有時會加入硼砂，所以最好還是自己做，才能吃到好吃又健康的鹼粽。

　　外省粽則以湖州粽或嘉興粽最為有名。湖州粽有鹹、甜兩種口味，鹹粽選用略帶肥的黑毛豬五花肉作內餡，用小火蒸上五個小時入味，不僅讓肉餡有入口即化的口感，肉的香氣與精華也能完全滲進米粒，合而為一。好吃的鹹粽還有一個秘訣，就是要選用軟Q的圓糯米，並且在米中加點糖，讓口感更好。如果是買市面上現成的湖州粽，用加點醬油的水煮熱，會比用蒸來得效果好。

　　甜粽則是包了甜而不膩的豆沙餡，上好的紅豆經過繁複的煮、炒、悶，做成細緻的紅豆沙，搭配一塊豬油，用白糯米或紫米包裹起來，下水煮到豬油與豆沙、糯米充分融合，就是甜粽獨具一格、軟黏香甜的的特殊口感。但是裹粽時不能包得太緊，以免糯米滲進紅豆沙中，使得內餡的形狀不完整，口味也受到影響。

　　甜粽的做法，每家都有自己的一套。我媽媽家的上海甜粽是糯米包紅棗或紅豆，不加糖，外型像木頭做的「踩蹻鞋」，吃的時候沾上黏稠的紅豆汁或棉糖。媽媽常說，楊公館（國民黨大老也有教父之稱的楊管北先生）的甜粽子，尖尖的頭上一定有一粒精巧的紅棗，可愛得讓人忍不住想一口咬下去。可惜，這個包粽的技巧好像失傳了，我再也沒看到過。

二. 荷葉飯

　　這是一種廣東點心。把荷葉放入熱水中泡煮到軟，去梗後，加入蓬萊米與在來米混合蒸熟，配上冬菇、鮮蝦、臘腸等料，包起來蒸二十分鐘，荷葉的清香滲入飯粒之間，別有一番清香滋味。

三. 竹筒飯

　　這是客家人發明的野炊食物。只要帶把米在身上，在野外就地取材，以竹筒為炊具，把一節竹子挖一個洞，裝入六、七分滿的米，注入水，塞起來或用大葉片包住，在地上挖個可以斜放竹筒的小坑，把竹節朝下、孔口朝上，然後在竹筒上鋪一層薄薄的泥土，堆些樹枝當柴火，燒到冒煙後轉另一個方向繼續燒。等不再冒煙時，就表示飯已經煮熟，可以把火源移開，順著長向面剖開竹筒，就是混合著竹香、米香、焦香，有著大地氣息的竹筒飯。聽說，這樣的烹煮方式比電鍋好吃，又不容易變質，是最符合環保，又能保留原味的方法。現在，這道山間野炊被搬上了餐廳宴席，除了保有傳統的元素外，還在竹筒飯裡加入更多的配料，讓傳統美食有了更豐富的變化。

四. 筒仔米糕

　　相傳首見於北宋蘇東坡的「仇池筆記」，當中記載的「盤游飯」就是今天的筒仔米糕。其做法是先把紅蔥頭爆香，加入蝦米、香菇和肉絲炒香，以肉桂粉、五香粉和白胡椒粉提味，加點水悶煮，收乾後備用。然後把浸泡五小時的糯米，以油和油蔥酥拌炒，加入醬油和高湯繼續炒到半熟後，把前面炒熟的備料鋪放在筒子底部，再把半熟的高湯、糯米填入九分滿，壓緊後用大火蒸十五分鐘，香噴噴的筒仔米糕就完成了。

　　淋醬對筒仔米糕而言，具有畫龍點睛的效果。把太白粉、肉桂粉、花生粉混合後加入甜辣醬和糖，用水混合，煮成稠狀，就可以視個人口味淋在筒仔米糕上。筒仔米糕最早使用的器皿是陶罐，因此而得名，早期在台灣還看得到很多人使用竹筒，後來為了方便改用小鐵筒，也就是現在市面上所見的模樣。

不同形狀的米食

飯

糰

粢

　　飯糰又叫粢飯，是許多中國人愛吃的早餐。一般的早餐店，是用糯米與粳米按比例調配，浸泡十幾個小時，講究的都用木桶蒸，蒸到軟中帶硬的程度才熄火。飯還冒著熱氣時，如果吃甜的就以少量的飯包入油條與砂糖，吃鹹的則包入油條、肉鬆、碎蘿蔔乾等。

　　自己在家做飯糰，則大多用長糯米，圓糯米，甚至剩下的白米飯也可以做出自家的飯糰。煮糯米時，水要放少些，飯才比較有嚼勁。碎蘿蔔乾如果與五香粉或胡椒粉同炒會更香。另如榨菜絲、酸菜絲、肉鬆、芝麻、老油條，也都是傳統的飯糰材料。

　　包飯糰的方法，可用一條方型的布，套在塑膠袋內，米飯鋪平後鋪上配料，再把老油條放中間，包緊後就是美味的早餐。昨晚剩下的飯，包入昨晚剩下的菜，捏緊後包入竹葉中，也是一道可口又美觀的點心。

　　把米飯變成糰，這是中國人的特殊吃法。

飯

三 075
以食為天

麴

　　酒釀的製作比較難，圓糯米五斤浸泡一夜，瀝乾蒸熟後，可用冷水淋過米飯，或將米飯攤開撥散，使其不致結塊。這個份量，大概配市面上販賣的酒麴一顆。

　　酒麴磨成粉後，均勻的與米飯拌勻，放入罐子中，中間用碗壓出一個坑，讓滲出來的米汁流到那裡。蓋子不用蓋太緊。等待發酵時，室溫不能低於攝氏二十五度，或高過攝氏二十八度，並且不要移動它。米飯在變化的過程會長出毛，聽説毛越長越好哩！過了三至四天，酒露出現就可以食用了。

　　我母親説，以前上海人做酒釀，為了温度穩定不受外面空氣的影響，罐子上要用棉被「焐」著，毛才會長得好。上海人形容一個人穿太多有點冒汗的樣子，就説「這個人還在焐酒釀！」

　　我去向龔詠涵老師學做酒釀的時候，老師與她的先生用秤珠寶的精密電子秤來量酒麴的分量，龔爸爸在一旁拿出一個看似不完整的小銅秤給我看，並且用那濃厚的鄉音訴説他在台灣開始做酒釀的故事。—— 原來，是為了鄉愁！

　　龔爸爸一九四九年從湖南鄉下來到台灣後，就一直想吃家鄉的酒釀，娶了個台灣本地的太太，怎麼樣都聽不明白他要的是什麼。後來他去圖書館，借到明朝科學家宋應星寫的《天工開物》，終於在那本中國最早的「技術百科全書」裡找到傳統酒釀的製造方法。他想照著研發看看，但沒有精準的工具量酒麴，就去當時台北後車站附近找了點廢料，自己做了一個小秤。後來雖然算是做出來了，他總覺得味道沒有家鄉的好，鄰居的同鄉嚐了卻説有家鄉的味道，叫他繼續研發，多做一點，因此解了許多老兵的鄉愁。就這樣，他的酒釀越做越多，台灣太太也學會了，漸漸的發展成有品牌的行業。現在女兒已接班，那小銅秤還在，比那精密的東西還管用呢。

　　龔爸爸説，一九八七年開放大陸探親後，他也回過湖南老家，臨回台灣之前，老姊姊送給他的，就是那罐裝了很多顆，他想了五十多年，味道對了的「酒麴」。「酒麴」這玩意兒的道理是一件事，但含有的鄉愁卻是另外一件事。

　　酒釀含有豐富的活性益菌，易於人體的吸收，是營養豐富的養生食品。好的酒釀有酒香但不嗆鼻，沒有苦味。吃的時候覺得甜，吃完後嘴巴則有點酸甜。沒有發成功的酒釀則有酸味與苦味。酒釀可搭配蛋花，桂圓薑母或湯圓等食用，但不宜久煮。很多地區的婦女於產後吃酒釀養身，更有促進發育的説法，有人還用它來敷面美顏。

　　酒釀的酒精成份雖不高，對酒量不好的人仍有足以醉人的後勁。有一次我母親半夜肚子餓，想煮個消夜吃，看到罐子中剩下一點酒釀，就全倒入鍋中與雞蛋同煮，吃了一大碗酒釀蛋。我半夜起來如廁，聞到一股酒香，尋到餐廳去，看到她滿臉通紅的坐在餐桌邊發呆，一時把我嚇壞了，以為她身體不舒服呢！原來，不勝酒力的她不知道甜酒釀是有後勁的！

釀

酒釀

有一種甜的米糕很素淨，嚼也甜，但比米糕華麗得多，做法碗底通常先鋪上自己喜歡的料，心的把蒸好的糯米鋪上，中間留繼續蒸。蒸好反扣在大碗或盤子在嘴裡帶有桂圓的香味。八寶飯也比較複雜。為了美觀與美味，如紅棗、水果蜜餞、桂圓等，小個位置放入甜豆沙，再鋪上糯米裡，色彩繽紛，讓人垂涎。

鍋巴是用火煮飯的鍋底，帶粉當甜點吃。如果回鍋炸熱了鋪就是有名的鍋巴蝦仁。著脆爽略焦的米香，可以灑些糖在盤底，滾上熱熱的蝦仁蕃茄，

珍珠丸子是許多孩子愛吃的菜餚。如果擔心碎肉做的丸子太硬，可以摻點豆腐或洋蔥拌勻，搓成丸子沾上糯米去蒸，吃了油的米蒸得像珍珠一樣亮。肉丸也可以先做好放在冷凍櫃，可以在最短的時間變出一道像樣的菜色。

糯米粉加上煮熟的地瓜或是南瓜、木薯粉或芡粉、混合點麵粉糖等，塞點餡料，起點油煎烤一下，小小的一口一塊，是下午的好點心。

糍粑是米蒸熟了後放入石臼，以木棒快速的舂成泥，趁熱沾花生粉或芝麻粉吃。以前的客家人，農忙時節常以剛舂好的糍粑供工人吃點心。台灣的阿美族也做糍粑，用的是小米，一男一女邊舂邊唱歌，打到黏黏的，富有嚼勁，配上蜂蜜吃。湖南省西北部的吃法則比較特殊，是把冷硬的糍粑切成片，圍著火爐烤來吃。必須不停的在火爐邊翻轉，讓它漸漸熱脹，鼓起來後刺個洞，等溫度稍降即放進紅糖片一起吃。還有一種吃法是放進豆腐乳——當地人稱為「黴豆腐」——有點鹹又有點香，也很好吃。尤其是寒冬時節，大夥兒圍在火爐邊烤糍粑，滋味特別溫暖而香甜。

狀元糕的原料為在來米與蓬萊米的搭配，經泡過半天以上加水用石磨磨成粗粉，水分瀝乾，篩過後放入如同狀元帽一樣的木頭容器內，加上糖、花生粉或芝麻粉或方塊酥壓碎的粉等配料，放在水已滾開的特製鍋子的嘴上，待木容器開始冒出白煙後約二三十秒鐘，即可推出來食用。一口一個，熱熱的吃，非常香。為了要拍狀元糕，找不到此攤販，我則找老師傅打了一個專門的鍋子，是一個沒有鍋蓋的鍋子，只有一個直直的蒸氣口。自己製作，才知道第一步原料混米的比例，看起來不難，卻是它的祕密。狀元糕的由來，據說是有位書生要上京趕考，千里迢迢眼看盤纏要用完了，就開始賣起這樣的糕點，賺足了盤纏再上路，後來一舉考上了狀元。所以現在很多考生在考試前吃這小點心，帶有祝福的意思。

杭州的「定勝糕」的道理跟狀元糕類似，只是木頭模具是梅花的形狀。我在成都看到一種蒸蒸糕，是用當地的上米，加上約一成的糯米，搗成粉後篩出較細的粉，用不溫不火的火候炒熟，然後再篩過，加水攪和，倒入木容器，整平，加上糖、豆沙及一點點豬油，放入蒸籠蒸好後取出來，也是一個一口。蒸蒸糕的蒸籠也特殊，必須用麻柳樹、泡桐樹等夠硬且有韌性的特殊木料，而且據說要先曬乾樹材，等農曆九月才能做蒸籠。

我們中國人吃中藥，因應四季節氣的轉換，不同的季節要配不同的藥材。沒想到連做個蒸籠都要看時辰；一個歷史悠久的民族，累積下來的經驗可真不勝枚舉！

點心

圓
團

　　台灣的肉圓是很有特色的點心，它的外皮材料由在來米粉、蕃薯粉與太白粉混合製成，表面透明光潤而飽滿，裡面的餡料多半是五花肉丁、香菇丁、筍丁；更講究些的還放蝦仁，都需配紅蔥頭炒過。包好的肉圓，彰化是用油炸，屏東用蒸籠蒸的，台南則會先蒸再下油鍋，形成不同地方的特色。吃的時候，要先剪開來，淋上各自調配的醬料再灑上香菜，口感潤滑而滋味甘甜，別的地方都吃不到呢！

　　除了各式湯圓外，客家人有一種糯米粉做的團子也很好吃。團子中間凹下個小洞，煮熟後配以切碎的生薑與剁碎的花生，淋上紅糖水，是獨具地方特色的甜品。

　　我很喜歡做團丸之類的米食，雙手揉著磨好的米粉，有一種細緻柔滑的感覺。大概十四歲的時候，我曾跟個朋友去余伯伯家學做宜興團丸子。余伯伯長得很帥，我以前見到他總是西裝畢挺，一頭抹了髮油的黑髮又亮又服貼。余伯母則是那天去她家學做團丸子才初次見到，看起來似乎比余伯伯蒼老。她的黑髮摻著灰白，束在腦後挽個髻，額頭、眼角、手背都有了皺紋，七分袖的素布旗袍有點寬鬆，外面罩了件手織的毛線背心。仔細看她的臉型五官，年輕時想必是個大美女。她的眼神溫和，眉毛清秀，聲音脆亮而和藹的操著我聽不懂的家鄉話，比手畫腳的給我們上了堂做團丸的課。那過程和細節我早已記不清，不外乎兩種米加水磨成粉，變成一個鈴鐺狀，加入餡料去蒸。但是余伯母的樣子，一直深刻的留在我的腦海中。

　　後來我才知道，余伯母與余伯伯是指腹為婚，很早就嫁入余家；她確實比余伯伯大上很多歲。

余伯伯的母親是個能幹的婆婆，父親沒有工作又愛嘮叨，初到台灣時還沒戒掉大煙，全家的生活倚靠余伯伯的阿姨；余伯母管她叫姨娘。據說姨娘有很多兒子，其中一個很得志，也特別孝順，對母親的話言聽計從。母親要他行方便幫姨父找個工作，他明知姨父眼高手低，見錢眼開，成不了事，也只得硬著頭去安排，後來徒增許多困擾。

余伯伯和他阿姨家的故事，在中國的舊社會並不陌生，很多小說都有這樣的背景和情節。三代同堂的家庭，戒不掉的大煙，孝子、敗家子，兄弟鬩牆，婆媳姑嫂，人多嘴雜，甚至是亂倫……；要做個有自我有自信的人，何其不易啊！

二十幾年後，我再次看到余伯母，徹底換了個樣子。雖然仍挽著髮髻，卻染了黑色，穿了時興的套裝，顯得年輕很多。倒是余伯伯看起來老了，兩人搭配在一起，有了一種苦盡甘來的和諧。

余伯伯不像他爸爸那樣不長進，從一個小科長一步步升到了副總經理。余伯母受盡一切委曲，無怨無悔的照顧難伺候的公婆，拉拔孩子讀到高等學歷。她場面看過，懂得眉眼高低，燒得一桌外面吃不到的家常菜，直到公婆過世後，才開始跟余伯伯進進出出，有了自己的社交生活，眼神也比以前有自信的樣子。

記得二十多年後再見到她時，她對我說的第一句話還是我聽不太懂的鄉音，但我知道那話裡的意思是：「那團子做得怎麼樣？現在市場買得到現成的水磨米粉啦，日子好過多啦！」

是的，那年代的女人，認命就是美德，經過二十多年，日子確實一天比一天好過啦！

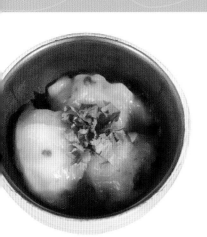  

米不只可以煮乾飯稀飯，研磨之後的粉還可以做各種料理點心，其中最大眾化的就是米粉。米泡水磨成粉後，要放入布袋壓去水分，取出粉糰上鍋蒸之前要先敲開，讓它變得比較有韌性。蒸到接近半熟，碾成片狀放入有圓孔的筒內擠壓成條狀，再入鍋蒸熟，風乾後即是很多人愛吃的米粉。

米粉的製做技術，清朝時代即從福建傳到台灣，新竹因為風大，適合曬乾，所以當地的米粉最著名。新竹有個地方叫「米粉埔」，當地的客雅溪蜿蜒曲折，平坦的河階砂石地比較乾燥，業者大多把成型的米粉攤在竹蔑上，抬到溪邊的河階曬乾。開車經過那裡，滿河階都在曬米粉，成為特殊的地理景觀。

米粉原來是用在來米做的，聽說台南的米粉會加摻一成麵粉。不過用純米做容易糊成一團，較難控制品質，後來業者不斷研發改良，添加玉米粉使口感比較Q，也可以穩定品質大量生產。

米粉可以炒也可以煮湯，都是我們常吃的。炒的配料主要是高麗菜絲、肉絲、冬菇絲、芹菜等；如果加些高湯一起拌勻則更鮮美入味。湯的配料大多是油豆腐、豬內臟，講究些的還加蝦仁、韭菜、綠豆芽。

雲南的米線和台灣的米粉不同，比較粗，不是用炒的，而是將蔬菜與薄薄的肉片魚片等一盤盤配料端到面前，端上一碗滾燙講究的湯，其中得有點兒雞油，最後再端上米線，趁燙先加配料，再放米線，稱為「過橋米線」，配料可多達十多種。

甜的「米苔目」，是台灣夏天很受歡迎的米食點心，也是冰店重要的材料。它是以在來米與太白粉混合，先加熱水拌勻，再加冷水慢慢調到可以揉搓的溼度。然後用有孔的銼刀，把粉糰銼成條狀，放入冷水定型。撈起後，淋上糖水即可食用。

另外，米粉片、河粉、貴刁、粿條做法類似，只是調配的方式各家不同，但不外在來米加上玉米粉或馬蹄粉，再加點油與麵粉。也有人加上太白粉與澄粉。製作時先把大鍋裡的水燒開，放入一個長方型的扁型容器，抹些油，把調配好的粉汁倒入，蒸一下即成。如果要做廣東腸粉，則要先把尺寸分割好，粉皮蒸到快熟前把餡料放入1/3處，待成熟後，折起兩邊即可鏟起入盤。

廣東順德有一種陳村粉，性質也差不多，但做法更考究，選擇的米要放半年以上，目的是讓它乾燥，讓米質更紮實，蒸了後則更有彈性，講究到一定要用石磨磨出來。它比一般的河粉要薄上三分之一，但是口感滑軟，Q度跟河粉一樣。不過因為手工繁複，產量不多。

我十七歲左右在美國時，帶了本漢聲出版的「中國米食」到朋友租的房子去，大家想吃河粉，就用房東配給大家用的果汁機打米，結果把人家的果汁機打壞了，嚇得不敢再嘗試。

台南著名的小吃鼎邊趖，是在來米粉加上地瓜粉調成糊狀，薄薄的淋一層在烘熱的鍋上，再鏟起來切成片塊狀。客家人吃的粄條，很像寬麵條，但是更細緻柔軟，通常搭配韭菜、綠豆芽、油蔥、肉片煮湯，現在市面上已有不少專賣粄條的飲食店。

糕 粿

米漿製的糕粿類，最能代表中國人的智慧。我常想，誰那麼聰明，發明了臼？又是誰那麼聰明，創造出「舂」這個動詞？因著他們的發明，淵源流長的陸續造就了近百種屬於我們的糕粿文化。大陸各省，有蘿蔔糕、桂花年糕、寧波年糕、鬆糕、豬油年糕、驢打滾、倫敦糕等，各地的品類大同小異。

台灣人過年會唸「甜粿過年、發粿發錢、包仔包金、菜頭粿吃點心。」台灣人稱年糕為粿，口味有紅糖、白糖、紅豆，還有加了紅蔥蝦皮的鹹甜粿。過年時，還有紅龜粿、發粿、菜頭（蘿蔔）粿、芋頭粿、草仔粿、包仔等，都是要祭拜祖先和神明用的。所以這類粿都會入吉祥模製作，脫模後，則反扣在美人蕉葉上。點心類則有碗粿、鳳片糕、芝麻糕、酸梅糕、雪花片等。麻糬是日本傳來的文化，與我們的糕粿基本上是相同的。五份的糯米配上一份的在來米的配方，是粿類最常使用的比例。

碗粿是用在來米漿製成，一般裝的碗都很古樸，與平民化的粿搭得天衣無縫。與在米漿內同蒸的配料，是用豬油炒的蘿蔔乾、肉絲、香菇，或加幾顆蝦米與蛋黃鋪底；也有在米漿中摻入肉燥的，蒸熟了淋醬吃，軟綿清香且有飽足感。香港也有碗粿，甜的口味，小小的碗粗樸可愛，只能當甜點。

草仔粿以前稱鼠麴粿，閩南語稱刺殼粿，內餡是蘿蔔乾絲與少許的碎肉混合，以前是清明拜拜用的，現在則成了養生食品，街角騎樓下或旅遊景點都有它的蹤影。紅龜粿的內餡，可包甜的紅豆泥，花生泥，芝麻泥，也可包鹹酸甜的口味，用酸菜加一點點蒜末、醬油和糖炒製而成。紅代表喜氣，龜象徵長壽，粿印上也都有吉祥字，表示向神明祈福。

台灣甜粿是我最喜歡吃的，比例約為七份糯米粉一份在來米粉做成米漿，可放桂圓與煮熟的紅豆，以前鄉下的老廚房用大蒸籠蒸，蒸籠四角放著中空的竹子，讓蒸氣往上冒，一籠總要蒸三四小時。蒸好後需冷卻一天，有一點硬度才能切塊。外省人會裹蛋汁煎，本省人則直接油煎，或裹上摻蛋汁的麵糊油炸，或沾一層加了香菜末的蛋汁煎。不

管煎或炸，都需要細心與耐心，才能恰到好處。也有人吃台灣年糕時夾酸菜，起初我不以為然，吃下去才知道真好吃呀！

發糕用的也是在來米漿，混合低筋麵粉與發粉做成，必須比例掌控得宜，蒸熟才能開口發，也就是要中間裂開。鄉下人做發糕如果不發，會被認為來年事業不順利。

香港的廣式蘿蔔糕，煎得微焦的表面，蘊藏著講究的切得極細的材料與白蘿蔔、在來米所結合出來的精緻口感。而硬硬的寧波年糕，是因為經過大力揉搓，質地比較緊實，吃時必須切片，跟雪裡紅、肉絲同炒或煮湯是絕配。以前去向老人家拜壽，常見桌子上除了壽桃壽麵，還堆了好幾層寧波年糕，代表五世其昌的富貴之意。

上海的排骨年糕，是把松江大米煮熟後，放在石臼裡用榔頭敲打，待看不到米粒後，以每五百克切約二十根年糕，小巧可愛，每根裡面裹上一小塊已氽過的排骨，再繼續放入醬汁鍋中煮，配以五香粉吃；我阿姨的薺菜肉絲炒年糕，則處理到湯汁很濃稠，年糕炒的軟硬適中，是經濟實惠的料理。

桂花豬油年糕是蘇州人的年糕，有玫瑰、棗泥、芝麻等口味，配料細緻，口味香郁。倫敦糕又叫白糖糕，煮粉漿時火候小，要不斷的攪拌，冷卻後加入酵母水，發酵約需五六小時，讓它帶點酸才有味道。

糕仔類都是把研磨好的乾粉用小火炒熟，拌以糖粉豬油，篩過再加入各種口味，入模蒸出各類糕點。鳳片糕與雪花糕，也是拜拜用的供品。我以前沒吃過，特別到台南的磨粉廠請教，才知它們都是糯米磨的，雪花糕的粉需冷凍研磨，放到顯微鏡下看，一片一片的，加入杏仁，像是結成塊狀的杏仁粉，聽說是一片一片撥下來吃的；原來就是我吃過的杏仁片。鳳片糕要加上香蕉油，吃的時候涼涼軟軟的，好香。

台北圓山大飯店的鬆糕，聽說是蔣夫人的最愛。它是在來米與糯米調配製成，端上桌的每一塊中間，不多不少的點綴著圓圓的棗泥，吃下去的每一口都鬆軟適中，不太甜，卻又彷彿甜到心底；如今也成了我的最愛！

粥亦稱糜，我們家稱為稀飯，可以早餐吃，也可以是消夜，生病時吃不下飯就喝粥。北宋詩詞大家蘇軾帖中曾云：「夜甚饑，吳子野勸食白粥，云能推陳致新，利膈益胃。粥既快美，粥後一覺，妙不可言也。」只有中國人才能體會一碗白粥所以推陳致新的妙效。

煮粥，越大越深的鍋最好，熬煮幾個小時，那種軟綿的稀飯最是好喝。尤其是上面那層米湯，舀出來煮任何東西都特別好，例如煮麥片，會有一種不濃烈但稠軟的口感，甚至也可以煮肉呢！

稀飯要趁熱喝，我很怕喝到溫冷的稀飯，有一種淒涼的感覺。熱粥裡有軟軟的米粒，喝下肚子後比熱湯更有完滿的飽足感。清朝著名詩人袁枚有云：「見水不見米非粥也，見米不見水亦非粥也，必使米水融合，柔膩如一，而後謂之粥。」袁枚出生於杭州，也是著名美食家，所著《隨園食單》流傳至今，照他的法則煮粥，一定能煮出一碗上善之物，好喝的白粥。

有名的台灣台南的鹹粥，是當地的早餐，虱目魚骨與豬大骨熬湯加入生米同煮，裝到碗後，再加入煎烤過的手撕土魠魚碎塊，灑上蒜頭、蔥酥、芹菜末、碎韭菜花，上面再鋪上一片虱目魚片。台南人和善慷慨，老闆娘看我不趁熱吃，拿相機筆記做功課，而後要吃的時候，則送上新的一碗熱騰騰的，還附上一片加大號的虱目魚，最後還不收我的錢，讓我不時的都會想要回去享受豐盛的早餐與豐盛的人情味。

廣東人稱白粥為「明火白粥」，那四個字好像水與米在火光裡不急不緩的相偎著，好不傳神！而袁枚沒有看到廣東人把這妙不可言的上善之物，最後變成了充滿動詞與聯想的名字，比如白粥加入了豬骨，魚湯，干貝，柴魚去滾，滾到米粒化成稠稠的漿，加上分拆的魚骨、魚腩、魚嘴、魚尾、魚餃、魚卜，外加上魚丸

稱「薑蔥生滾雲魚粥」等，在香港，許多菜單都像對聯，不但有名詞、動詞，還有形容詞，每次我總想為這些生動的名字接個下聯，好比「薑蔥生滾雲魚粥」對「去寒氤氳胃翻騰」；好比看到經熬煮「明火瑤柱白米王」對「袁枚尋米費思量」。廣東人真是會取名字，又如氣派的「狀元及第粥」，其實是豬的雜底經過一番熬煮，然後撒上花生米、碎油條，上桌前再拌個生雞蛋；他們就有辦法把「雜底」美其名為「及第」，實在讓人佩服。此外香港還有皮蛋瘦肉粥、柴魚花生粥、足料荔灣艇仔粥、燕窩鮑魚雞絲粥、台灣街頭常見的海鮮粥等，這些都已經離米遠了，而重料的味覺。

我有個葡萄牙朋友，花了二十分鐘跟我說他們國家的人間美味，我到了葡萄牙里茲本當地漁港的餐廳點了他說的那道美味，原來就是我們中國人的海鮮粥，只是他們花更長的時間去燉煮，用的米是久煮的長米，海鮮加的料理更多，把粥的味道全淹沒了。當然也很好吃，堪稱人間美味，我的朋友花二十分鐘的形容，卻抵不上我們的七個字「薑蔥生滾雲魚粥」。

我還偏愛小米稀飯，那是北方人用小米加上碎玉米，熬得稠稠的，喝的時候再加上一匙白砂糖，又甜又飽滿。

臘八粥也是甜的，是我們在農曆臘月（十二月）初八喝的粥，內容除了米，還有花生，綠豆，紅豆，蓮子，桂圓，紅棗，薏仁等，可以當點心吃。臘八這天是佛成道的日子，所以臘八粥原來的名字是「佛粥」。

比粥更細緻的是米漿，也是一種健康食品，尤其適合虛弱的老人和嬰兒。現在坊間開發了各種米漿上市，由於使用的米種類不同，顏色也各異。對於喝牛奶會過敏的人，米漿無疑是最好的替代品。

零食

　　以前外國食物還沒有大量進口時，米是我們最親切的糧食，它不僅是我們的日常主食，也是許多零食的材料。用米做的零食，最香而且讓我印象最深刻的首推爆米花，台語直接稱它「米香」。可惜現在的孩子看電影吃的大多是進口的，由玉米做的爆米花。

　　二、三十年前，台灣許多市鎮的路口，都會不時停著一輛爆米花的拖車，最醒目的是一個像炸彈般的爆米筒，米放入加溫後幾分鐘，老闆知道快要爆了，就會向左右的人連喊三聲「爆噢！」那爆的聲音很大，老闆是提醒大家不要靠近，並且最好摀住耳朵。然後他就拿著鐵網子到滾筒前端，接住高溫爆出來的米粒，放到一個大鐵桶中加入炒熟的花生瓣或葡萄乾，再淋上麥芽糖或糖漿，快速的拌勻即倒入大木框定型，用滾棒整平，最後用竹尺切成小塊，每塊大約八公分見方。我們買到時，拿在手上還是熱的，真是香！提著一大袋回家還可以放一陣子，是當年家裡常見的零食。

　　現代的超市或大賣場，也有現成的爆米花，每一包都放著乾燥劑，想必是工廠大量製造的。少了「爆噢！」的氣氛和熱香，那冷冷的爆米花真是今非昔比！

　　台灣的米製零食不少，像米糕、米粩也很有名，是到廟裡拜拜常用的貢品。尤其是長橢圓形的米粩，農曆十二月二十四日送灶神回天上，貢品除了傳統的三牲，一定要有米粩這種加了大量蜂蜜

的甜點。灶神吃了甜甜的米粩，嘴就甜了；「好話傳上天，壞話放一邊」，希望祂上天後幫我們向天神多說點好話。

每到過年前半個月，台灣的糕餅店或傳統市場就開始出現胖滾滾的米粩。現代人怕吃太多甜食，廠家還會加入一些別的穀類配方，調成鹹香的味道，也很受歡迎。

我們公司有一個業主，年輕時代接手家裡的食品行業，一九九二年去湖南推廣當地甚為罕見的米果產品，希望開發大陸市場，一周內接到高達三百多個貨櫃的訂單，他的工廠日夜趕工生產，結果卻沒人依約拿現金來領貨。

眼見幾百萬包的米果就要過期，他乾脆把米果送給長沙、上海、廣州、南京等地的各級學校，從小學到大學，讓每一個學校的學生都分到一包。萬萬沒料到，這個善行成了最佳的市場行銷，原本以為要打道回府的米果生意，因為學生們吃了後都很喜歡，奠定了他們產品的穩固市場。

世事難料，一小包米製零食，不但可以向天神祈福，竟然也深藏著「塞翁失馬，焉知非福」的大道理。

文化
食物

茶與壺

的記憶

比起現在講究茶道的朋友們，我父母那一代喝茶可真簡單多了。他們使用的茶具就只有一個厚厚的玻璃杯，杯上繪著傳統的梅蘭竹菊圖案，加上半透明的塑膠蓋，蓋子正中央還鼓起一個圓凸點，方便用手掀開它。那個年代的幫傭，一早起來先燒一壺水，水開了讓它在爐子上多滾幾分鐘，再抓一小撮茶葉放入玻璃杯，提起滾燙的開水沖下去，沖到杯底約五分之一就蓋上，這是沖茶。

然後等呀等，等到主人醒來，咳嗽兩聲，傭人知道該泡茶了，於是開水再滾一下，把沖好的茶水加到八分滿，過一下，再端去給主人。主人的習慣是端起杯子吹個三四下，然後緩緩的喝下一口，滿足的吐口氣，似乎表示這又是美好一日的開始。

那杯茶，就跟著主人一整天，一次次加水，從濃喝到淡。他們那一代，大多是這樣喝茶的，濃茶喝得出恬淡的滋味，淡到快沒味了還能用滾燙的水享受它的溫度。那是一種儉樸自在，愛物惜物的生活態度。── 這是我對茶的第一個記憶。

我對茶的第二個記憶，場景從家庭轉到企業，見證了人與杯子之間的情誼。那次是去幫一位企業家第二代裝修公司的新辦公室。他曾經遠赴國外留學，帶回一套嶄新的企管觀念，希望讓企業年輕三十歲，要我們把新辦公室設計得很現代。完工搬遷那天，我們一起欣賞那嶄新的氣象，卻見員工們一個個拿著繪了梅蘭竹菊的玻璃杯進來，杯上是透明的塑膠蓋，杯裡是暈黃色的茶水與大概也是要泡一整天的茶葉。企業家第二代搖搖頭，嘆口氣，大概覺得很殺風景。當時我就想，他對梅蘭竹菊的印象

顯然和我有一大段距離。

他並不死心。為了讓茶杯也符合新辦公室的現代風格，他幫員工挑選了剛上市的不鏽鋼杯，線條極簡新穎，價錢也頗不便宜。如此費心又費錢，是希望跟員工們在一個新氣象的氛圍裡繼續打拼事業。哪知老員工們並不領情！── 因為用不慣那新款的茶杯，竟一狀告到他老爸那兒去！一手帶大企業的老爸，當然也很珍惜這些從年輕時就跟著他打天下的老員工，於是從善如流，下令回收所有的不鏽鋼杯。於是老員工們又快樂的拿著梅蘭竹菊的玻璃杯，泡著一天一杯的茶。

不久之後，我到年輕企業家的家中作客，發現他的書桌上整齊的堆置著那些線條極簡的不鏽鋼杯，活像一組近年流行的「裝置藝術」。那批杯子，如今都成了經典，雖然改變了功能，那前後的過程卻留給我深刻的記憶。

我對茶的第三個印象，是在以木雕聞名的三義喝「老人茶」。那些人家有各種泡茶的用具和大大小小的壺和杯，很像老人在玩「家家酒」。那時是台灣經濟起飛的年代，許多人為了工作常常忙得連睡覺的時間也沒有。「老人茶」的由來，大概是只有老人才有閒功夫慢慢品嘗吧！但喝「老人茶」的不一定是老人，周遭的環境也無法讓人感受靜心品嘗的樂趣。

我在三義看到的「老人茶」，都有一個樹頭雕刻的大桌子，是三義木雕的衍生產品。那些年歲古老的樹頭，不但奇形怪狀，而且都有獨特的年輪，可惜美麗的造型和紋路都被亮光漆密密覆蓋著，聞不到一絲絲古木的芬芳氣息。

木桌的旁邊，立著燒開水的鐵架子，底下是瓦斯爐或酒精燈，上面放著好大的鋁壺；還

有一個好小好小的紫砂壺，以及各種挖掏茶葉的道具。── 最粗糙的金屬大壺，配以最名貴的宜興小壺，不成比例，看起來很不協調。

他們泡茶時，小壺內塞滿了茶葉，注入熱開水後還要提起大鋁壺將小壺淋上幾遍，因此木桌的中間還挖了一個洞，鋪上沉亮的不鏽鋼板，底下接一條塑膠管，好把淋下來的水接到水桶裡，讓我不禁把它與病人住院時的導尿管聯想在一起。

小壺的茶泡好後，先倒入一個有嘴的陶杯，再由主人一一傾入客人的小杯。喝了幾回以後，主人就用一個挖具把擁擠的茶葉自小壺裡挖出來，再塞滿新的茶葉，重新注入水……；如此幾遍，周而復始。我想，那些挖出來的茶葉應該還有味道的，卻那樣沒有尊嚴的被攤在一旁，讓我覺得好疼惜。

那木頭雕的大桌上，還放著大小不等花色凌亂的各式茶葉罐，一碟碟放在塑膠盤內的瓜子，花生，小點心，以及剝下來的碎殼和糖紙。桌子的正前方，則是一排電視櫃，除了電視，還有各種紀念牌，花器，紀念照，書報雜誌。電視機正開著；形形色色的人物和景物，哇啦哇啦的各種聲音，在我眼前不斷變換……。坐在那裡時，視覺聽覺味覺都有點錯亂，我不禁懷念起繪著梅蘭竹菊的玻璃茶杯，多麼單純的一天一杯茶！

「老人茶」的風潮，後來漸漸沒落了。近幾年來，台灣的生活文化越來越講求品味，茶道的風氣趨向安靜自在，泡出好茶的高手也越來越多。他們用心的推廣茶道藝術，與茶相關的活動，以茶會友的茶會也很蓬勃，而且茶會上的一切，都看得出細緻的美學層次。例如花藝的構圖，布料竹類的裝飾，研發的茶點心，都

精緻而有創意，更能烘托會場的氣氛。

這種茶會，不像日本茶道那麼講究拘謹的禮數。有人形容日本的茶道是「和敬清寂」；而我們的茶道則是「人情義理」，這樣的形容是很貼切的。當我們靜心品茶時，彷彿是禪坐，最適合現代人忙裡偷閒，陶冶性情，享受俗慮一清自由自在的喜悅。

比喝茶文化更早的，其實是台灣茶葉種植的演進。許多茶葉改良專家，一九七〇年代開始就在各地進行有系統的培訓，教導茶農種出最好的茶葉。愛喝茶的人，也開始歸納整理對茶葉的知識。茶的名字，產地的名字，特色茶的名字，茶樹的品種，茶區的高低緯度，茶的分類……；弄清楚這些基本功並喝得出來才算入門。層次再高的，則去了解採收的節氣、凋萎、發酵、溫度控制、陽光利用、含水量、化學變化、炒菁、揉捻、乾燥；說得出來才算半個行家。更高層次的，則要能評比茶葉的形狀、色澤、香氣、滋味、山頭；分析得出來的，才是真正懂茶的人。

我有多位熱心茶道的朋友，常有機會跟著他們參觀和學習。記憶最深也最有意義的一次，是浩浩蕩蕩三百多人一起上阿里山，到種茶的農民家舉行茶會。那次茶會的目的，是要謝謝茶農們做出世界一流的茶，也讓他們知道：我們如何品嘗你們種出來的好茶。那次活動也結合了藝術家事先進駐，將當地的資源作成藝術品；美食家也事先進駐，跟當地的家庭一起以當地的食材做出具有地方特色的食物。

幾個山區不同村落的人，加上平地來的，約有四百五十人，分散住在茶農家裡。主辦人事先到各家幫忙打理，理出一個茶會所需的環

境氛圍，然後大家就分別到每一戶輪流品茶。樸實的茶農看著遠來的訪客，如此安靜的聽他如何種茶，聞他的茶，品他的茶，論他的茶……。他們領會到都市人對於氛圍追求的用心，也終於知道，辛苦的種植和製作，換來愛茶者的疼惜與尊敬，大家都交流得好開心。當天晚上，在瑞里山區的源興宮前，他們還舉行了舞龍舞獅的謝神典禮，山上的孩子們排練了很久的表演節目，更把整個活動帶向高潮。

第二天早上，都市人醒來時，農家已空無一人，各自下茶園工作去了。我走到屋外，只見霧氣繞著山間，好像神仙就要從那裡走出來。神仙住的地方靈氣逼人，這群有福氣有靈氣的農人，做出來的茶當然是一等的好茶！

雖然有機會參加茶會的活動，我對茶葉還是很外行。因為從事設計工作，比較感興趣的其實是茶具的線條。尤其鍾愛最古老的白瓷蓋碗：它的比例玲瓏有緻，彎曲的弧度和口唇接觸的位置也都合適完美，是我心目中最傳統也最美的茶杯線條。

附於本文中的茶具配圖，每個壺的材質都不同：銅，竹，陶，瓷都有。每一個銅壺，都是年代久遠的骨董，顯示了先民的美學造詣和高超的金屬工藝。竹子有著樸素的意境，瓷器比較細緻秀氣，陶壺則有粗獷原始的氣度。其中一組用漂流木做柄的陶壺，則是我與陶藝家朋友蕭立應一起創作的作品；它的背後有著我與哥哥的對話，以及與天地萬物感悟的故事。

兩年前的夏天，颱風剛過，我去海邊拍照，發現海面上漂浮著大大小小的漂流木，一時眼睛被吸住了，定定的看了很久。它們被海水沖過來，刷過去，載浮載沉，沒有歸屬，也無法做自己的主人，看起來多麼悲苦！我不禁想起過世不久的長兄，生前也度過一段悲苦的歲月，一種慈悲和憐憫的情懷在我心裡浮升上來，當下決定要用漂流木設計一個可以紀念哥哥的東西。

這一念之願，促使我花了幾個月的時間思索，終於成就了這組漂流木把與陶壺相依的茶壺。那段思索的期間，回想著河裡載浮載沉的漂流木，想到它的前身原都是叢林裡的密實木料，就如我哥哥也曾經是健壯志昂的青年，最後卻抵不住業力的焚風，在紅塵裡被沖得折斷了筋骨，刷空了意志。

後來我終於有機緣撫摸已經離水許久的漂流木，感覺它的身體是那樣的輕，身上的裂紋又那樣的深，彷彿我哥哥在對我述說著受傷的往事和心底的不平！

於是，我為這受傷的身軀搭配了一個圓潤的陶壺，陪伴它，撫慰它。這陶壺不像瓷器那般名門閨秀，也不似竹器那般小家碧玉，更不像銅器那款大鳴大放；她就是實實在在，懂事體貼的陶姑娘；你怎麼教她，她就怎麼跟你。現在，當我握著這輕穎的漂流木柄時，總想把手掌中全部的溫暖送給哥哥，希望他在天上，能夠感受的到。我寫了一首悼念他的詩：〈菩薩接走的孩子—— 敬悼我的大哥　任和鈞〉

哥哥的一生
像河流裡的漂流木
紅塵沖刷了他的壯志
病魔折損了他的筋骨

漂流木的前身曾經那樣的厚實
如今的身軀卻是這樣的輕盈
流水鑿刻的紋路纍纍展延
彷彿述說著哥哥種種的不平

哥哥近年潛心學佛
最後話語「菩薩來接我了！」
因果如此樸實圓滿
有如這伴著漂流木把的陶壺
地藏經云：
過是報後，當生無憂國土，壽命不可計劫。
後成佛果，廣度人天，數如恆河沙。
謹此敬悼親愛的大哥安息

茶的種類

茶具

茶具

儒林華國古今同
吟詠飛毫醒醉中
多士作新知入彀
畫圖猶喜見文雄

白亭謹依
韻和進

明時不與有唐同
八表人歸大道中
丁美苦于十八士
經綸誰走出莘雄

茶席

　　我喜歡去寶玲家喝茶，她是很多活動背後的推手。寶玲很謙虛，每當我們誇她茶泡的好，她就會說還有誰誰的茶比她泡得更好。同樣的茶，在不同的主人手裡，有完全不一樣的意境，品茶的當下，連茶主人也是值得細「品」的！能被邀請到值得細品的人家喝茶是一種福氣，不但能夠俗慮一清，心境情境也都不同了。

　　品茶的學問很大，台灣近年來流行的「茶道」則比較輕鬆，所以持續的吸引著很多人。我們與朋友聚會吃飯時，每個人都有一堆話，要埋怨的、要炫耀的、要批評的、要議論的……，吵吵鬧鬧的吃頓飯回來，聽了更多的消息，也起了更多的雜念。但若是與朋友去茶會品茶，茶席的安排素雅清幽如禪坐，有一種讓人沉潛安靜的氣氛，音量也隨著心情沉澱下來，是一種很適合現代人陶冶性情、享受自在的活動。

　　日本的茶道源於中國，是天台宗開創者最澄法師到中國研習佛法後，於西元八○五年引進日本的，一向講究禮數，氣氛嚴謹，難免喪失了品茶的自在隨意。

　　台灣的茶席則不只是品茶，也會安排一個主題，比如欣賞書法、說故事，或是月琴、南管的演奏，所請的也都是功夫高深的名家，讓茶朋友們心靈上更有所收穫。

　　一幅宋徽宗所繪的〈文會圖〉，很詳細得記載了當時的茶席文化，局部的備茶圖中，可以看到現在日本人用來煮茶的道具，跟宋朝時是一樣的爐子，日本人後來將水壺掛在天花板落下來的自由勾上面；這局部圖中也詳載了忙碌的備餐景致，我們以茶會友的生活是其來已久的文化活動。

零食

蜜餞

梅子的鮮果有點酸澀，一般人不喜生食，但它可以做出幾十種蜜餞，女生尤其喜歡吃酸梅。四至五月間是梅子成熟的季節，不一樣熟度的鮮果可以製作不同口感的零食；其熟度約略可分為四種。

五分熟的青梅，適合醃漬成脆梅，口感清爽。洗淨後需輕輕拍打，讓梅子稍有裂縫，加一些鹽拌勻，靜置一天一夜，期間仍需不時的翻動，之後用清水浸泡，並且不時的換水，待試吃沒有苦味酸味時，撈起來瀝乾水分，加入白糖，拌勻後把湯汁倒出來，不斷的熬煮到梅子略乾即可。

七分熟的青梅，適合醃漬成鹹梅，加入鹽拌勻後不要翻攪，靜置二夜讓它入味，然後倒掉湯汁，置於太陽下，讓它的水分漸漸曬乾，直到梅子出現皺紋再放入砂糖，熬煮到糖汁出來即可。據說鹹梅可解決腸胃不適的問題。

八分熟的青梅，可製成Q梅，做法與七分熟的一樣，但不需曝曬即可加入白糖，必須陸續的分很多次加入少量的糖翻攪，梅子的肉才不會縮起來。直到甜度適中時，加入茶葉即成茶梅；也可加入紫蘇、咖啡或其他水果，製成各種口味。

九分熟的青梅，適合做梅子酒。梅子洗淨陰乾後，以一比一的份量放入冰糖、米酒，浸泡約四個月左右，再加入冰糖即成。民間的說法，梅子酒能改善尿酸偏高的情況。

梅子

至於份量則大約三十斤的梅子對一斤多一點的鹽，傳統的家庭，除了上述之外，還會用翻攪壓大石頭的方式，將苦汁逼出來，之後還會要至少兩回的加上約一斤半的冰糖，翻攪再壓上大石頭，苦汁逼盡後，則可以裝罐，冰糖則一層一層分次的放，相對約要十八斤的冰糖，視情況加上紫蘇等，還有人放辣椒的。如此六個月後即可食用。

春末採梅的季節，梅園的梅子因熟度不同而出現層次紛紜的顏色，有一種「胭脂梅」，背面雖然仍是翠綠色，正面因為照到太陽變成脂紅色，非常可愛。從小小一顆果實的身上，也可看到胭脂色漫到翠綠色的自然光影是多麼的微妙動人。醃製梅子像釀酒一樣，需要時間來沉澱，我買到一罐放了近二十年用海水醃製的梅子，除了香甘甜以外，真是具足了健胃整腸開胃口的效果。

另外有一種楊梅則可以生吃，也可以做蜜餞做醋或酒。楊梅又稱「珠紅」、「樹莓」，分佈於海拔300～1500公尺之山麓，成熟時期約在五至七月間，盛產於江浙一帶，台灣比較少。它的外表密生著一粒粒紅色的囊狀體細瘤，果實無子而香甜多汁，雖然是木本類，卻像藍莓或草莓般脆弱易爛，採收時必須動作快，不能壓到，採收後也不能像梅子一樣放個一兩天；因為一經放置就會失水變小，很可惜。最好摘下後不要洗，立刻裝入塑膠袋冷凍，要吃時再解凍沖洗。我是採收後立刻用米酒清洗，置入玻璃器皿做醋或酒。透明的玻璃罐放在窗邊，楊梅一天天的縮小，溶解，汁液日漸豐盈。每天看著窗邊的玻璃罐，那等待的心情也和瓶裡的顏色一樣鮮紅呢！處理這類醃製過程，不要碰到水則可以放的久。除了梅子以外，果皮也可用來做成蜜餞。好比秋天的白柚，快要變成黃色時，把厚厚的皮剝下來，分成小小塊，與黑糖一起放到電鍋的內鍋，外鍋放多一點水，中間攪拌多次，可能蒸上兩三回，最後乾燥即成。吃起來甜甜苦苦的，研究都說食物中該吃些苦的才好，這就是簡單速成對治久咳的一個蜜餞良方。

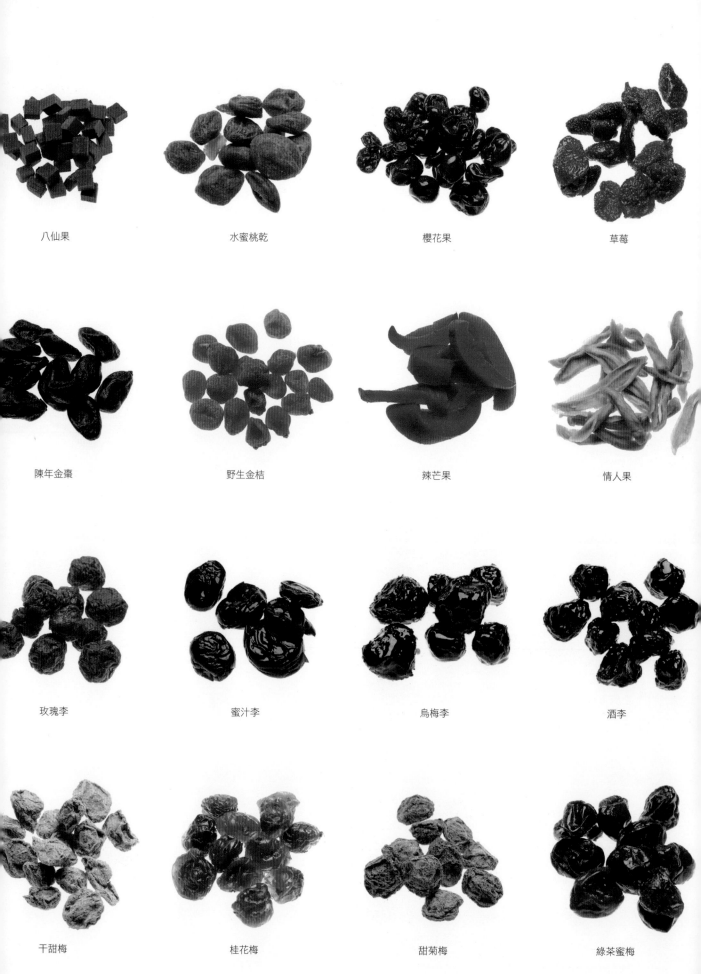

八仙果　　　　　水蜜桃乾　　　　櫻花果　　　　　草莓

陳年金棗　　　　野生金桔　　　　辣芒果　　　　　情人果

玫瑰李　　　　　蜜汁李　　　　　烏梅李　　　　　酒李

干甜梅　　　　　桂花梅　　　　　甜菊梅　　　　　綠茶蜜梅

楊桃糕

櫻桃蕃茄

香蕉乾

桔餅

黑棗

芭樂乾

鹹葡萄乾

聖女蕃茄

黃橄欖

辣橄欖

小紅莓

李仔糕

蘇州梅

酸烏梅

茶葉梅

辣梅

檸檬片

仙楂

洛神果

仙楂餅

紅芒果

橄欖絲

橄欖片

化核橄欖

冰梅

干草梅

咖啡梅

化核梅

碳燻烏梅

白梅

蜜餞百科

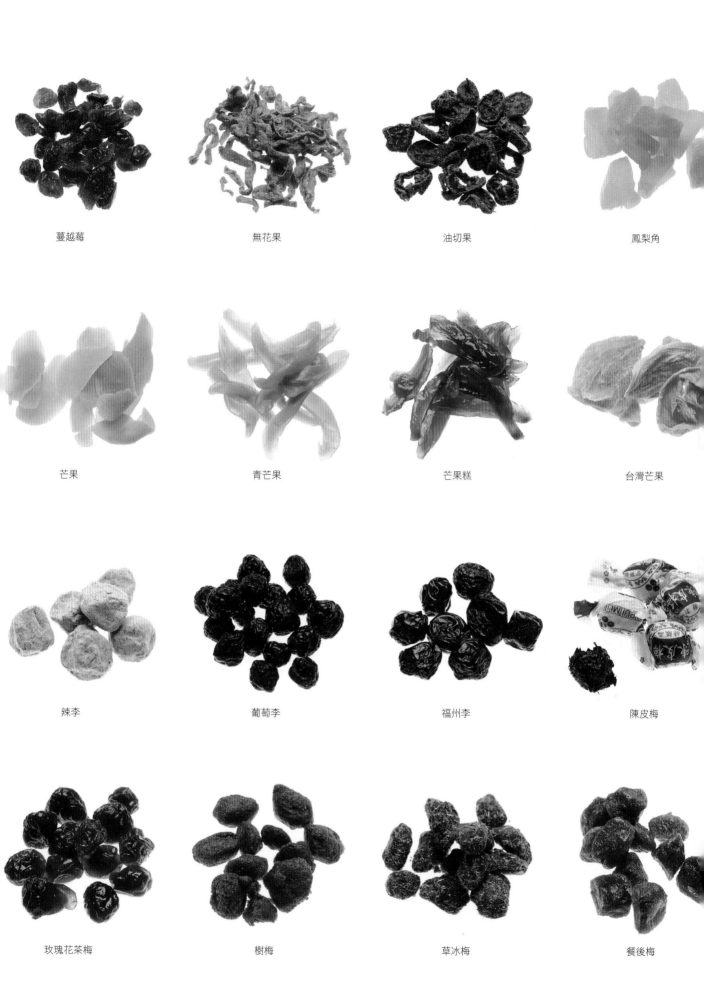

蔓越莓　　　　　　　無花果　　　　　　　油切果　　　　　　　鳳梨角

芒果　　　　　　　　青芒果　　　　　　　芒果糕　　　　　　　台灣芒果

辣李　　　　　　　　葡萄李　　　　　　　福州李　　　　　　　陳皮梅

玫瑰花茶梅　　　　　樹梅　　　　　　　　草冰梅　　　　　　　餐後梅

匠心手藝

西周 (1045~770BC)

東周 (770~221BC)

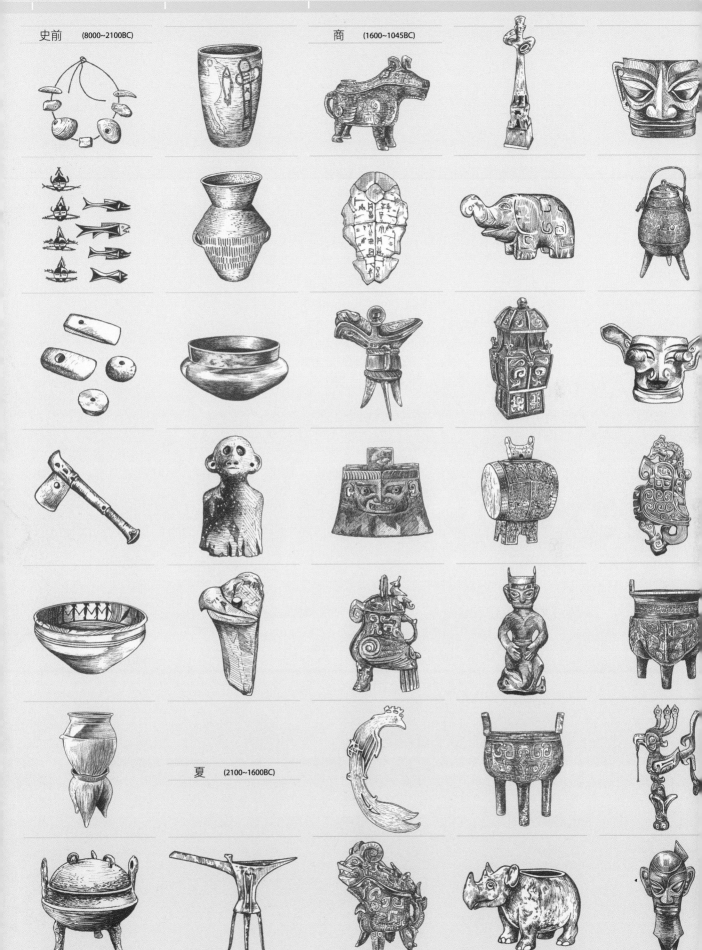

史前　(8000~2100BC)

商　(1600~1045BC)

夏　(2100~1600BC)

器物

匠心手藝

秦　(221~206BC)

漢　(206BC~220AD)

史前文化

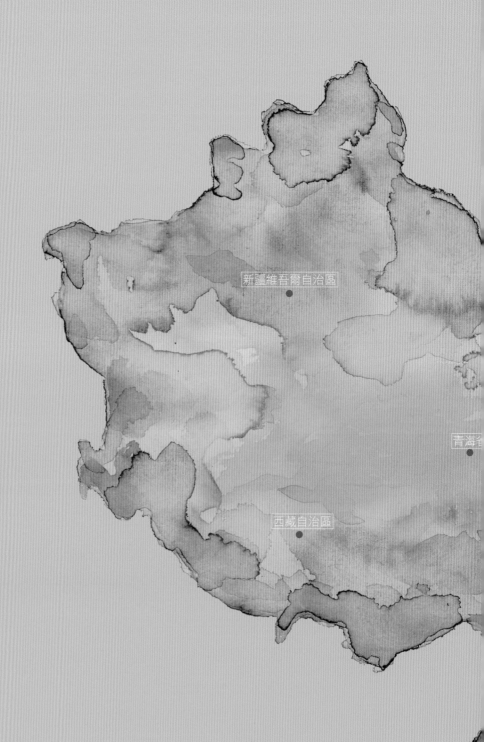

新疆維吾爾自治區

青海省

西藏自治區

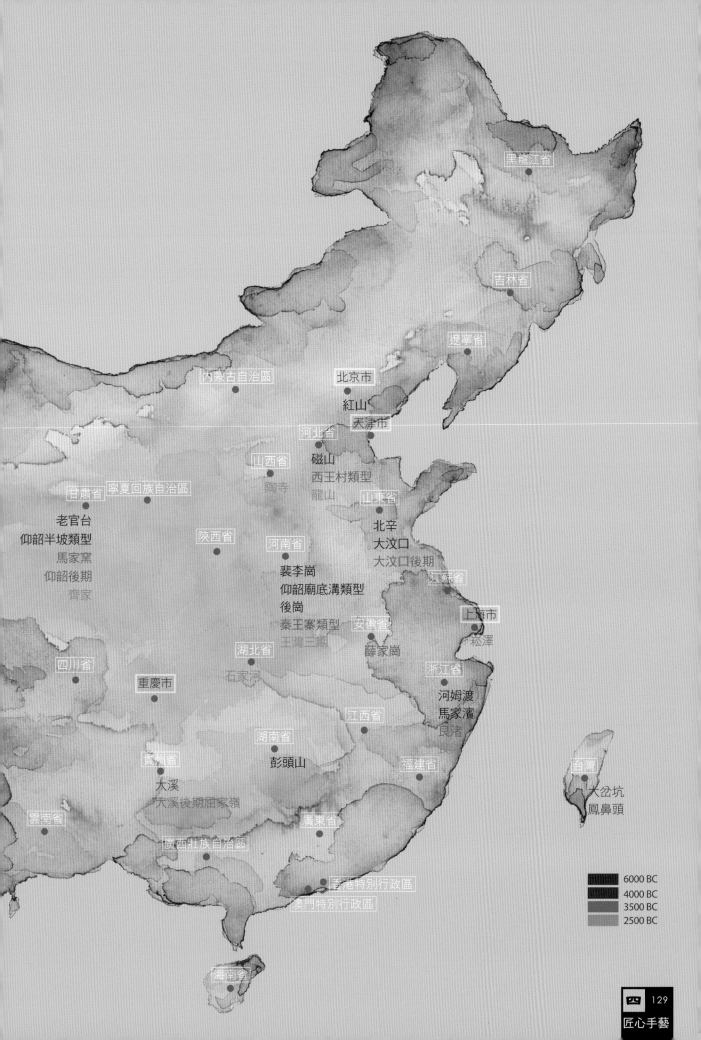

黑龍江省

吉林省

遼寧省

內蒙古自治區　北京市

紅山

河北省　天津市

山西省　磁山
西王村類型
陶寺
龍山

甘肅省　寧夏回族自治區　　　　山東省

老官台　　　　　　　　　　北辛
仰韶半坡類型　　　　　　　大汶口
馬家窯　　陝西省　河南省　大汶口後期
仰韶後期
齊家　　　　　　裴李崗　　　　江蘇省
仰韶廟底溝類型
後崗　　　　上海市
秦王寨類型　安徽省　松澤
王灣三期
湖北省　薛家崗　浙江省
四川省
重慶市　　石家河　　　　河姆渡
馬家濱
江西省　　良渚
湖南省
貴州省　彭頭山
台灣
大溪　　　　　福建省　大岔坑
大溪後期屈家嶺　　　　　　鳳鼻頭
雲南省
廣西壯族自治區　廣東省
香港特別行政區
澳門特別行政區

	6000 BC
	4000 BC
	3500 BC
	2500 BC

海南省

五代　(907~960AD)

宋　(960~1279AD)

金　(1115~1234AD)

元　(1271~1368AD)

三國　(220~265AD)

魏晉南北朝　(265~589AD)

唐　(618~907AD)

隋　(581~618AD)

「雨過天青」、「類銀似雪」與「八大瓷窯體系」

中國陶瓷的發展史，從開始蓬勃發展，臻至高峰的唐宋時期，出現了「南青北白」與「八大瓷窯體系」等名詞，這解釋了自然條件不同而發展出「南方流行青瓷，北方流行白瓷」的現象。青瓷的特色是胎土施以含有氧化鐵的釉，南方的窯口就地取材，利用當地含鐵量1～3%左右的瓷土，在燒製的氧化還原後呈現各種不同的晶瑩釉色，「雨過天青雲破處，這般顏色作將來」即是後周世宗柴榮讚嘆汝窯釉色之美的想像，也有一說是宋徽宗對汝瓷顏色的要求。東漢時期就已經有成熟的青瓷出現的紀錄；魏晉南北朝則為其獨盛之時；至隋、唐、五代時期，越窯是全國青瓷產出最重要的窯口，直到宋代的龍泉窯、汝窯乃為青瓷中的精品。

白瓷則是胎土經過淘選，掌握土質的除鐵技術，顏色較白，並施以潔白澄淨的透明釉料，經過高溫燒製出「類銀似雪」的白瓷。成熟的白瓷至隋唐形成風氣，北方邢窯因其土質潔白，且經過人工淘洗，大量產出潔白晶瑩，品質甚佳的白瓷，有著「天下無貴賤通用之」之說。隨著實用性的發展，白瓷也逐漸地加入越來越精煉的審美元素。

「八大瓷窯體系」是指北方是定窯白瓷系、耀州窯青釉刻花瓷系、鈞窯窯變釉瓷系和磁州窯白地繪黑花瓷系；南方是龍泉窯青釉系、越窯青瓷系、建窯黑釉瓷系和景德鎮窯青白瓷系。若以現代人的語彙，不妨將這些知名窯口視為一種「名牌」。每個「名牌窯口」競相生產著當時流行的特色商品，這些窯口之間做的器形與釉色也會互相參考，爭取客人的青睞。以生產青瓷為主的南方窯口，也會嘗試做出白瓷的器形與釉色，如福建德化窯，在明代大量產出冰清高潔的白瓷製品；而北方的耀州窯青瓷，因其土質關係，類似橄欖綠顏色與南方青瓷青翠的色澤有不同的趣味。這些審美喜好的分類，可以說是一種地域性特色的綜合表現，並非其他地區不能複製的。

陶瓷作品風尚與品味的形塑過程，必然有曇花一現的插曲，比如唐代的三彩與宋代絞胎。唐三彩是低溫燒製的陶器，釉料中含銅、鐵、鈷、錳等元素的礦物，並加入大量的鉛作助熔劑，經過800℃左右低溫燒成後，以黃、褐、綠為基本釉色。從出土的器物顯示，唐三彩作品多當成陪葬品。宋代絞胎瓷器通常是用黑白或褐白瓷土，擰麻花般將兩色瓷土絞在一起，經過繁瑣反復加工後，坯體可呈現出兩種瓷泥絞在一起所形成的紋理，橫豎交織，十分獨特，成品多為豪門貴冑使用，到了元代之後失傳，無人知道如何燒製，成為後世追覓的謎題。

每件陶瓷的製成，是各地窯口憑藉當地的土質條件，以及製作技巧，把細心挑選的胚土塑型後，刻花上色上釉等，掌控燒製時間與溫度，期待高溫燒製的氧化還原後，形成一個個端正、美觀、實用的器物。歷代以來，一個個窯口支撐著當地的經濟發展，數不清的大小口子就仰賴著那永不熄滅的紅爐火，期待燒出「雨過天青」的南方情調，或淘洗出「類銀似雪」的北方景致。

彩陶

黑陶

白陶

鉛釉陶

青瓷　越窯-龍泉窯

　　　耀州窯

　　　汝窯-官窯

　　　鈞窯

黑釉

北方白瓷

景德鎮白瓷

釉下彩

單色彩釉

鬥彩

五彩

琺瑯彩

5000BC　　　2500BC　　2000BC

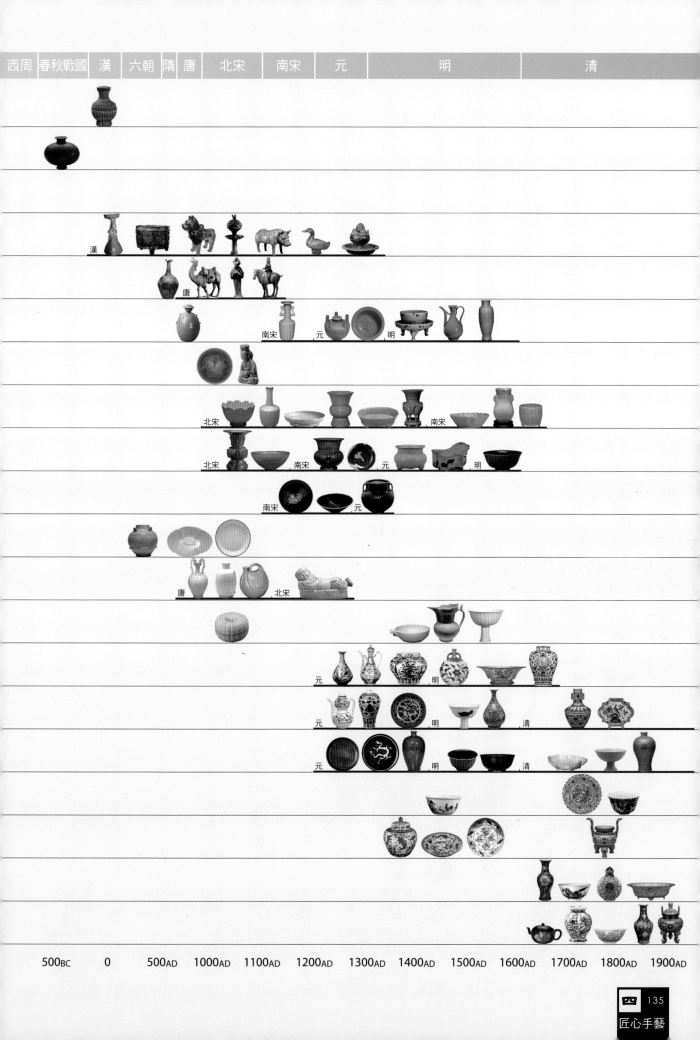

漢

唐

南宋　　元　　明

北宋　　　　　　南宋

北宋　　南宋　　　元　　明

南宋　　　元

唐　　　　北宋

元　　　　明

元　　　明　　清

元　　　明　　清

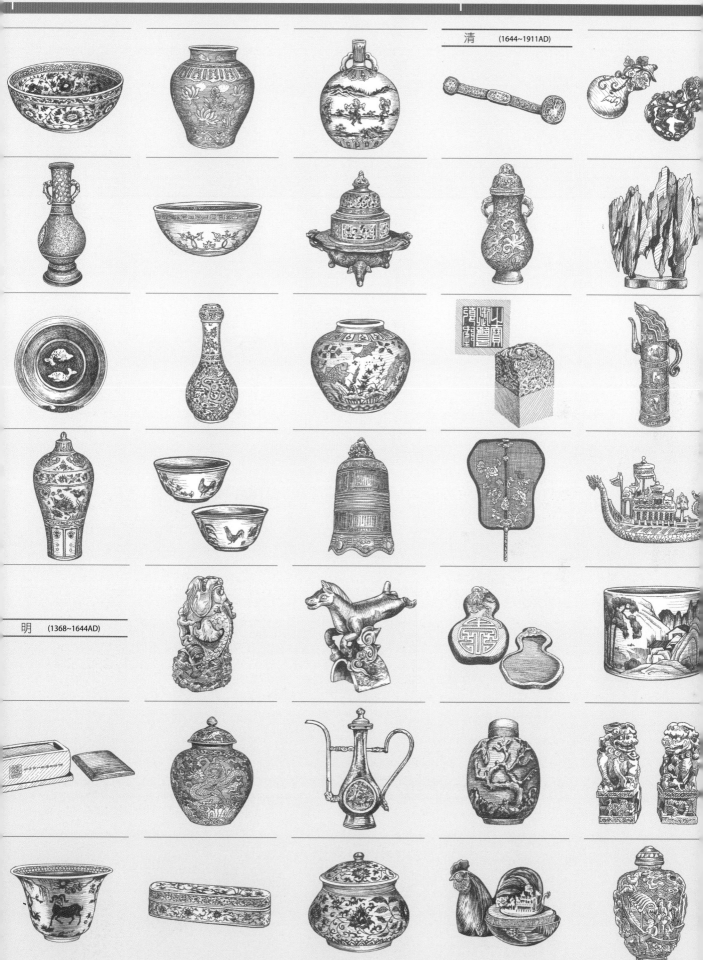

清　(1644~1911AD)

明　(1368~1644AD)

器物

　　這一篇章所整理的，是古代生活用品中，舉凡祭祀禮佛到鍋碗瓢盆，還有吐痰夜壺等器物，重實用性或是因為觀賞陳設，而長久的保存下來。中國「器物」的造型和特質，由於各朝各代生活與美學的演變，加上外來文化的融合，使得它們呈顯的工藝之美，不但結合了人文情懷，甚至展現了生命哲學，留下足於傲世的璀璨記錄。

　　我第一次注意到器皿，是小時候看京劇，發現劇中人飲酒的酒杯杯底竟有三個尖角；那特殊造型是我以前沒見過的。後來聽長輩説，才知道古時候行軍在外沒有桌子，喝幾口酒想歇息一會兒，可以把那三個尖角插入土裡放穩一點。

　　稍長之後參觀博物館，看到六千多年前的新石器時代，有一種可以從河裡汲水的尖底瓶，兩邊還附有耳朵，以便穿上繩子提回家。不禁讚嘆前人的智慧，真是讓人折服。再看那些炊具，有的設計是為了方便生火，有的則是為了維持火的溫度，這些器皿所展現的當時狀態，總讓我遙想那時候的廚房是什麼模樣？

　　欣賞古代的器皿時，我不但想到它的實用性，也觀察它的造型美學。製作者的實用需求也許有相近之處，但對於造型線條的揣摩，每個人的天賦是不同的。欣賞這些古器皿，研究它們出現的年代與歷史演變，確實是非常迷人的事情。

　　我最喜歡的器皿材質是青銅，最喜歡它們身上的器耳、提梁、蓋紐、蓋子；這些都是為了實用而設計，但總能兼顧美感與吉祥寓意。其次是各類龍鳳鳥獸象犀的器物，它們的造型多變，比例勻稱，想像力豐富，也可看出當時動物出沒、遷徙的狀況。

　　這次製作器物篇章，儘可能囊括可以查詢到的資料，再以減法配合畫面的美觀為要點，取其中之精華刊登於內頁。這段期間整理了五百多件器物，無一不是工藝與完美的結合。如果能每天什麼事都不做的欣賞這些器物，該是多麼享受的事啊！——但那就可能落入中國人所謂的「玩物喪志」啦。

整理這兩個雙開頁面，花費了近半年的時間，除了兩岸故宮的器物，也網羅許多國外博物館或私人的蒐藏。其中很多型體，若不是為了這個章節，以前是無緣看到的。而在讚嘆我們的工藝之美時，內心也不禁充滿了困惑。我們的老祖宗留給我們這些完美的線條與比例，為什麼我們舉目望去的，盡是一些滑稽無聊的圖繪呢？為什麼那時的精湛技藝沒能留傳下來？現代科學講究計算，各種機器手臂和先進的脫模技術尤其發達，為什麼在工藝上卻遠不如古人？

　　呈現在這裡的三百件器物，大概只有蒐藏者或研究者才有機會領略其中精華，民間不容易看得到。為了讓這些完美的造型或比例鋪陳在孩子們眼前，我決定捨材質而以型體為首要，利用西洋銅版刻版畫的細線條筆觸，繪製再現這些器物；也可以說，我想整理出一套屬於中國人的「器物圖標」。——我擔心今天不做，改天這東西變成別人的囉！

　　這個構想產生後，馬上想到插畫家葉子明；《傳家》第一版的插畫就出自他的手。我要特別感謝他的功力與耐力，終於完成了這史無前例的五百多組「器物圖標」（呈現於書中的約只有三百組）。

　　我選了瓷器做為雙開拉頁的封面，因為這門工藝延續至今，古老的窯還存在，象徵著承傳。同時，在世界語言中，china 代表著「瓷器」，China代表著「中國」；這個優美且分量很重的文字，是從唐代瓷器外銷歐洲各國開始的。

　　我們的瓷器成熟於東漢晚期，其後的四百多年，形成中國陶瓷史上的第一個發展期，這是以青瓷獨盛且歷久不衰的時期。到了唐代，則因「南青北白」與三彩陶器、黑釉、花釉、絞胎以及釉下彩繪的發展，攀登史上的第一個高峰期。宋代有「定、汝、官、哥、鈞」這「五大名窯」：加上八大瓷窯體系的成熟，邊境遊牧民族風格或富於地域特徵的瓷器也聞名於世，可謂瓷器最輝煌的時期。當青花瓷於元朝達到成熟的巔峰期之後，不僅影響了後來的明清主流，其紅、藍釉等高溫顏的燒製成功，更是中國工藝史上的重大突破。明清時期景德鎮成為瓷業中心，五彩繽紛的色彩一直延續到現今。

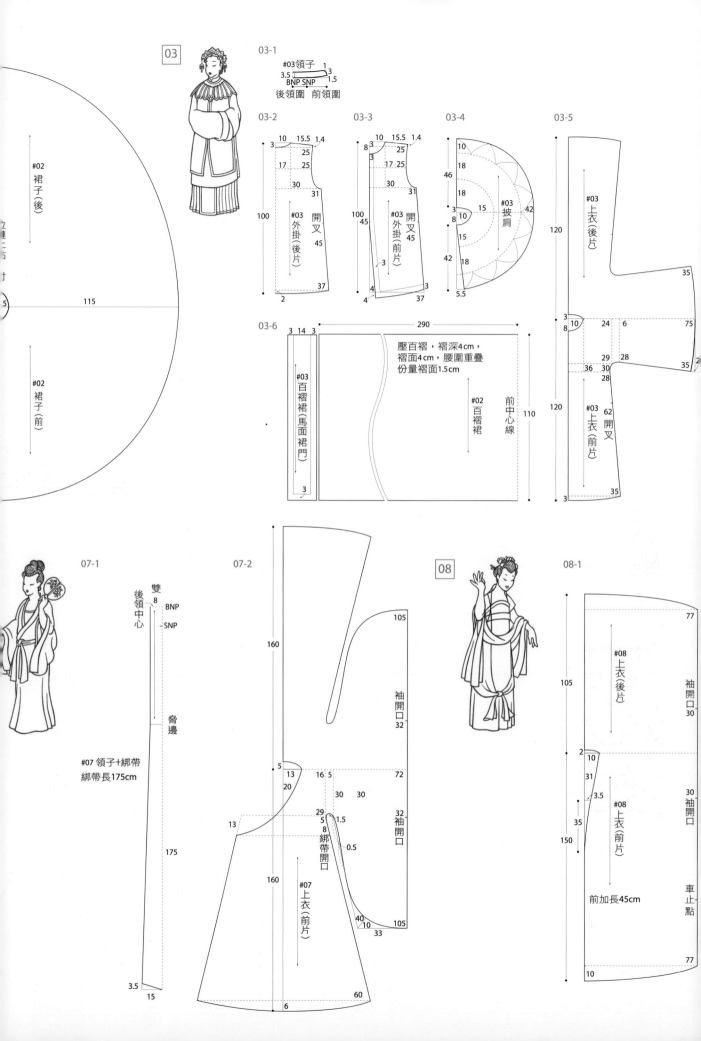

03

03-1

#03領子
1
3.5 3 1.5
BNP SNP
後領圍 前領圍

#02
裙子(後)

#02
裙子(前)

115

5

03-2
10 15.5 1.4
3
25
17 25
30
31
100
#03 開叉
外掛(後片) 45
37
2

03-3
10 15.5 1.4
8 3
25
17 25
30
31
100 45
#03 開叉
外掛(前片) 45
3
4 37
4 3

03-4
10
18
46
18
3 10 15 #03 42
8 披肩
15
42
18
5.5

03-5
#03
上衣(後片)
120
35
3 10 24 6 75
8
29 28
36 30
28
#03 62 開叉
上衣(前片)
120
35
3 35
2

03-6
3 14 3
290
壓百褶,褶深4cm,
褶面4cm,腰圍重疊
份量褶面1.5cm
#03
百褶裙(馬面裙門)
#02 前中心線 110
百褶裙
3

07-1
雙
後領中心
8 BNP
SNP
脅邊
#07 領子+綁帶
綁帶長175cm
175
3.5
15

07-2
105
160
袖開口 32
5 13 16 5 72
20 30 30
29 32 袖開口
5 1.5
8 綁帶開口 0.5
#07
上衣(前片)
160
40 10 105
33
60
6

08

08-1
77
#08
上衣(後片)
105
袖開口 30
2 10
31
35 3.5
150 #08 30 袖開口
上衣(前片)
前加長45cm
車止點
77
10

01-1

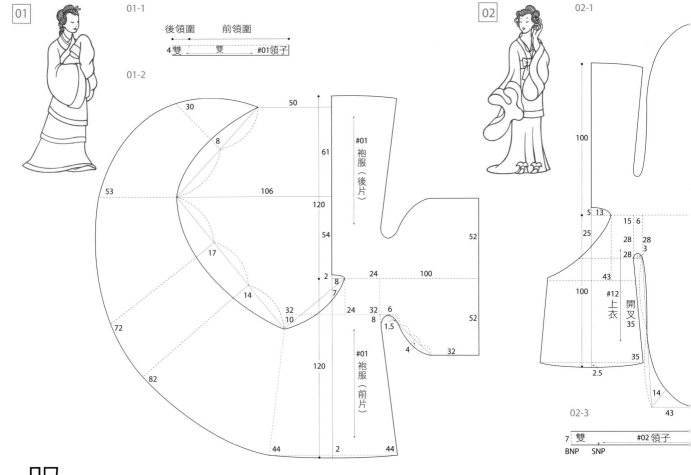

後領圍　　　前領圍

4 雙 ｜　　　雙 ｜　　　#01領子

01-2

30

50

8

#01
袍服
（後片）

61

53

106

120

54

17

2
8
7

24

100

52

14

32
10

24

32
8

6

1.5

72

4

32

82

120

#01
袍服
（前片）

44

2

44

02

02-1

100

5 13

15 6

25

28

28
3

43

#12
上衣

100

開叉
35

35

2.5

14

02-3

43

7 雙 ｜　　　#02領子

BNP　　SNP

06

06-1

前
中
心

脅
邊

後
中
心

80

雙 8 ｜ 雙 ｜　　　#06腰帶 ＋ 綁帶

15

8

06-2

#06（上）肚兜

9
9
4

8

10 雙

15.5

#06（下）肚兜

19

9.5
9
6

12

22

22

40

06-3

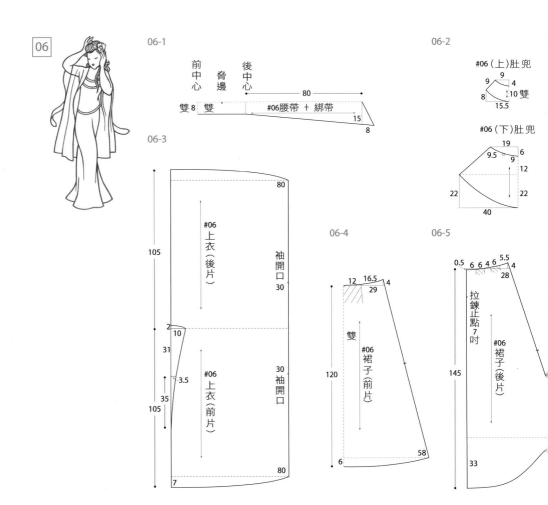

80

105

#06
上衣
（後片）

袖
開
口
30

2
10

31

35

3.5

105

#06
上衣
（前片）

30
袖開口

06-4

12 16.5
4

29

雙

#06
裙子
（前片）

120

6

58

80

7

06-5

0.5 6 6 4 5.5

4

28

拉
鍊
止
點
7
吋

#06
裙子
（後片）

145

33

Scale 1:25

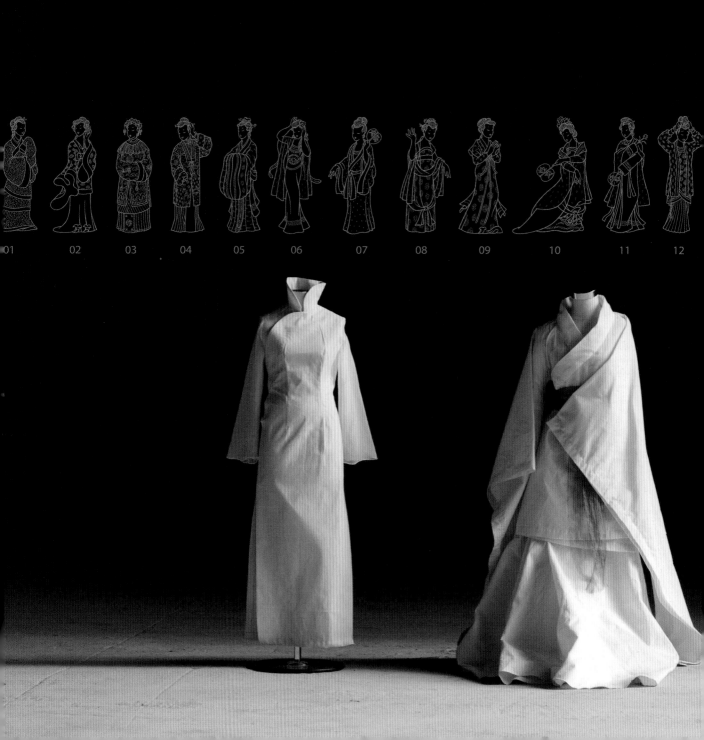

01 02 03 04 05 06 07 08 09 10 11 12

中國歷史上，有關女性服飾的記載並不多，我在僅有的資料中，從春秋戰國的「深衣」開始到清兵入關，出現的馬甲背心，到滿族人的寬大的旗裝，演變成現在代表中國女性的「旗袍」，一共選出二十三個樣式，藉以看到不同朝代女性所著重的服裝風格，然後委託實踐大學服裝設計學系的鄭惠美老師等，將版型打樣出來，再分別用胚布與西式的絲絨或雪紡布縫製出來。

這二十三種款式呈現在我面前時，我好像從不同服裝的形式、材質，看到不同朝代的女性所擁有的習慣與風俗。不論是華麗開放、保守拘謹或是龐雜繁縟，「女為悅己者容」的心情相信是沒有歷史的界線的。

旗袍曾經是中國女性服飾的代表，小時候看媽媽們穿，總覺得有一種端嚴加上嫵媚的美。而今穿旗袍的女人越來越少了，反而大多以露胸或露背來展示新潮的性感。其實旗袍不止最能彰顯女性的婀娜多姿，也最符合中醫勸人不要把脖子與胸口露出來的醫理，因為保護胸口，不至於招風寒，毛病就不容易上身了！

從這些服裝的製做過程中，也很清楚的看見，我們的古代服裝，影響著今天的日本、韓國與東南亞的傳統服飾。而選擇東西方不同材質的布料，有可能會迸出另類的中國風潮吧！

13　　14　　15　　16　　17　　18　　19　　20　　21　　22　　23

中國女性服飾

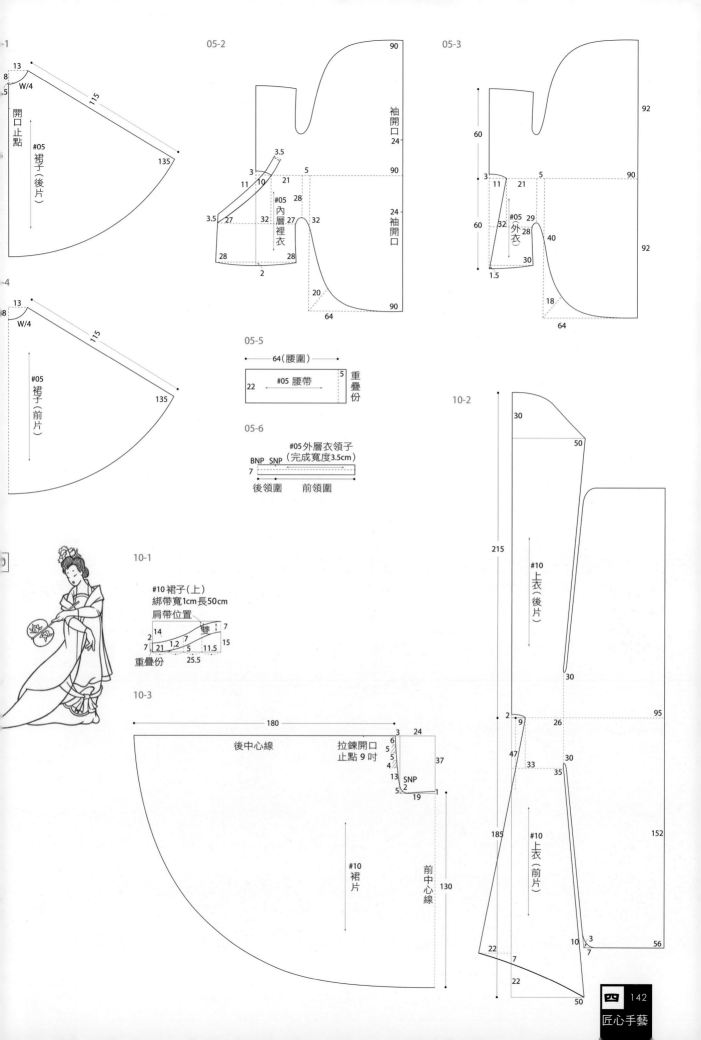

05-2

袖開口 24

90

90

袖開口 24

#05 內層裡衣

3.5

3

11　10　21

5

3.5　27　32　27　32

28

28

2

28

20

64

90

05-3

60

92

3　11　21　5

90

60

32　29
#05 28
(外衣) 40
30

1.5

18

64

92

13
8
.5　W/4

115

開口止點

#05 裙子（後片）

135

13
8
W/4

115

#05 裙子（前片）

135

05-5

64（腰圍）

#05 腰帶　5　重疊份

22

05-6

#05外層衣領子
（完成寬度3.5cm）

BNP　SNP

7

後領圍　　　前領圍

10-1

#10 裙子（上）
綁帶寬1cm長50cm
肩帶位置

雙　7

14　　7

2　7　1.2　5　11.5　15

21

重疊份　25.5

10-2

30

50

215

#10 上表（後片）

30

95

2　9　26

47

33

30

35

185

#10 上表（前片）

152

10　3
7

56

22

7

22

50

10-3

180

後中心線

3　24

拉鍊開口
止點9吋

6
5
4　5
5　37

13
2　SNP
5　19　1

#10 裙片

前中心線

130

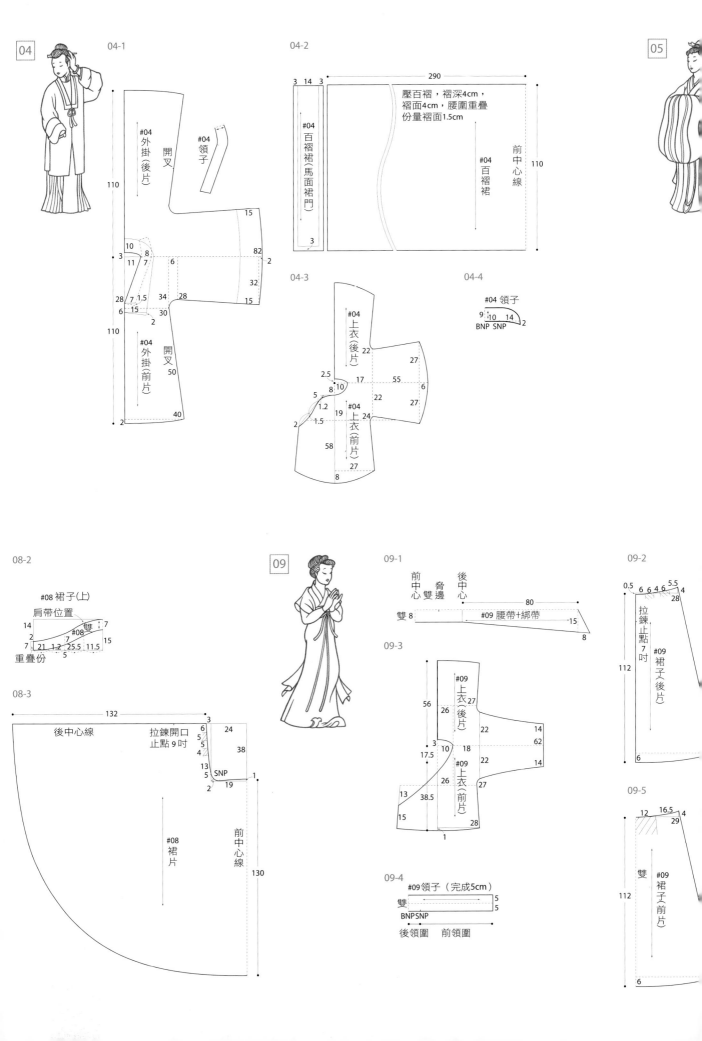

04　04-1　04-2

#04 外掛（後片）
開叉
#04 領子
110
15
10　8
3　6　2
11　7
82
32
15
28　7　1.5　34　28
6　15　30
2
110
#04 外掛（前片）
開叉
50
2
40

290
壓百褶，褶深4cm，
褶面4cm，腰圍重疊
份量褶面1.5cm

3　14　3
#04 百褶裙（馬面裙門）
前中心線
#04 百褶裙
110
3

04-3
#04 上衣（後片）
22
2.5
8　10
5　17　55　6
1.2
2　19　22　27
1.5
24
58
#04 上衣（前片）
27
8

04-4
#04 領子
9　10　14
BNP SNP
2

05

08-2
#08 裙子（上）
肩帶位置
14　#08 雙　7
7　#08 雙　7
7　21　1.2　25.5　11.5　15
5
重疊份

08-3
132
3
後中心線　拉鍊開口 止點 9 吋
6
5
5　4
24
38
13
5　SNP　1
2　19
#08 裙片
前中心線
130

09

09-1
前中心　叠雙邊　後中心
雙 8
80
#09 腰帶+綁帶
15
8

09-3
#09 上衣（後片）
56
26　27
3　10　18　22　14
17.5
62
#09 上衣（前片）
26　22　14
13　38.5　27
15
28
1

09-4
#09 領子（完成5cm）
雙
5
5
BNP SNP
後領圍　前領圍

09-2
0.5　6　6　4　6　5.5　4
28
拉鍊 止點 7 吋
112
#09 裙子（後片）
6

09-5
12　16.5　4
29
雙
#09 裙子（前片）
112
6

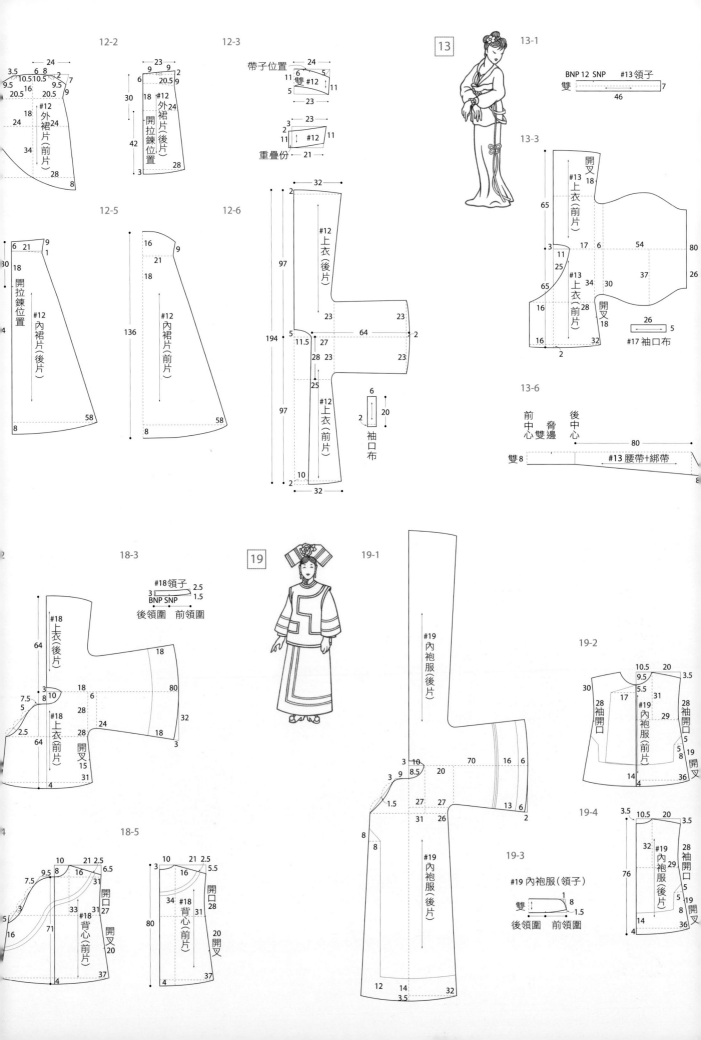

12-2
24 / 3.5 6 8 2 / 7 / 9.5 10.5 10.5 / 9.5 / 16 / 20.5 / 9 / 18 / #12 外裙片(前片) / 24 / 24 / 34 / 28 / 8

12-3
23 / 9 9 / 6 / 20.5 / 9 / 30 / 18 / #12 外裙片(後片) 開拉鍊位置 / 24 / 42 / 28 / 3

帶子位置 24 / 6 5 / 11 雙 #12 11 / 5 / 23

重疊份 23 / 3 / 11 #12 11 / 21

13 13-1

BNP 12 SNP #13領子 / 雙 / 7 / 46

13-3
開叉 18 / #13 上衣(前片) / 65 / 3 11 / 25 / 17 6 54 80 / 65 34 30 37 26 / #13 上衣(前片) / 16 / 開叉 18 / 16 / 32 / 2 / 26 5 #17 袖口布

12-5
6 21 9 1 / 30 / 18 / 開拉鍊位置 / #12 內裙片(後片) / 4 / 58 / 8

12-6
16 9 / 21 / 18 / 136 / #12 內裙片(前片) / 58 / 8

32 / 2 / #12 上衣(後片) / 97 / 23 23 / 194 / 5 / 11.5 27 64 2 / 28 23 23 / 25 / 97 / #12 上衣(前片) / 10 / 2 / 32 / 6 20 2 袖口布

13-6
前中心 脅邊 後中心 雙 / 80 / 雙8 #13 腰帶+綁帶 / 8

18-3
#18領子 2.5 / 3 1.5 / BNP SNP / 後領圍 前領圍
#18 上衣(後片) / 64 / 18 / 80 / 18 / 7.5 8 10 6 / 5 / 28 / 32 / 2.5 / #18 上衣(前片) / 64 / 24 / 28 / 18 / 3 / 開叉15 / 4 / 31

19 19-1

#19 內袍服(後片)
#19 內袍服(後片) / 3 10 70 16 6 / 3 8.5 20 / 1.5 / 27 27 13 6 2 / 31 26 / 8 8 / 12 14 32 / 3.5

19-2
10.5 20 / 9.5 3.5 / 30 17 5.5 31 / 28 袖開口 / #19 內袍服(前片) / 29 / 28 袖開口 / 5 19 開叉 / 14 / 36

19-3
#19 內袍服(領子) / 雙 1 8 1.5 / 後領圍 前領圍

19-4
3.5 10.5 20 3.5 / 32 / #19 內袍服(後片) / 28 袖開口 / 29 / 76 / 19 開叉 / 14 / 36 / 4

18-5
10 21 2.5 / 7.5 9.5 8 16 6.5 / 31 / 開口27 / 3 33 31 / #18 背心(前片) / 開叉20 / 5 16 71 / 4 / 37
3 10 21 2.5 / 16 5.5 / 開口28 / 34 31 / #18 背心(前片) / 80 / 20 開叉 / 4 / 37

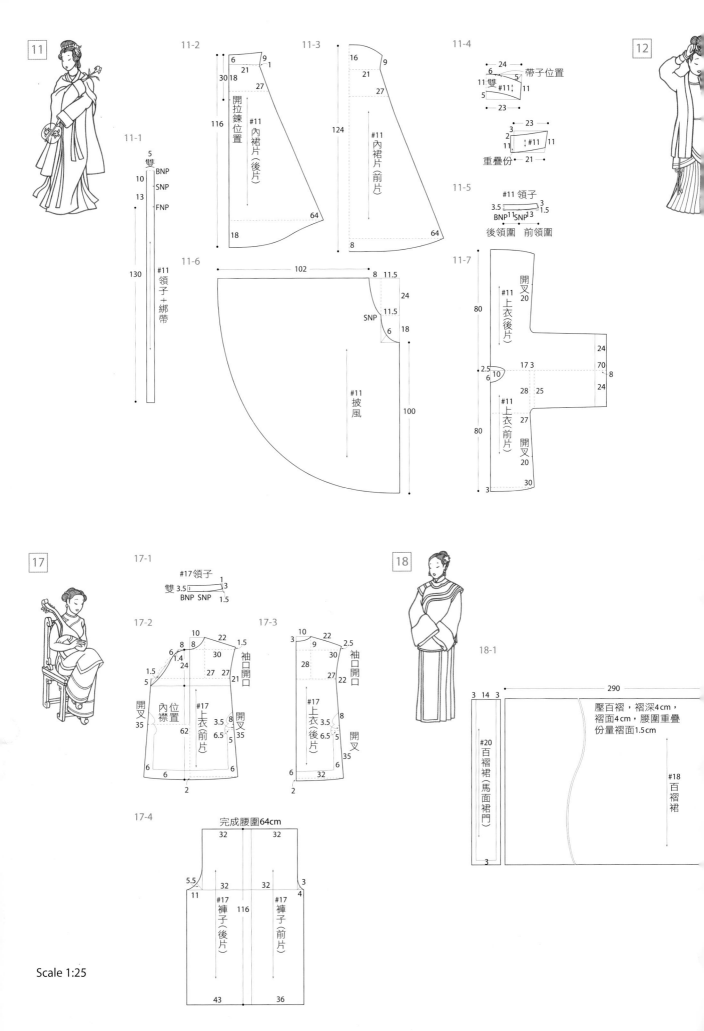

11

11-2
6　9　1
30　18　21
27
116
開拉鍊位置
#11
內裙片(後片)
64
18

11-3
16　　9
21
27
124
#11
內裙片(前片)
64
8

11-4
24
6　　5　帶子位置
11 雙　#11　11
5
23
23
2　　#11
11 重疊份　11
21

11-5
#11 領子
3.5　　　　3
1.5
BNP 11 SNP 13
後領圍　前領圍

12

11-1
5
雙
10　BNP
13　SNP
　　FNP
130
#11
領子+綁帶

11-6
102　8 11.5
24
11.5
SNP　6　18
#11
披風
100

11-7
80
#11
上衣(後片)
開叉 20
2.5　17 3　　24
10　6　　　70
6　　　　8
28　25　24
80　#11
上衣(前片)
27
開叉 20
3　　　30

17

17-1
#17 領子
雙 3.5　　　3
1.5
BNP SNP

17-2
10
8　8　22　1.5
6　1.4　　30
4　24
1.5　27　27 21
5　　　　袖口開口
開叉 35
內襟位置
#17
上衣(前片)
62
3.5　開叉
6.5　5　35
6　　　6
6
2

17-3
10　22
3　9　2.5
28　30
27　22
袖口開口
#17
上衣(後片)
3.5　8
6.5　5
6　　開叉
32　35
6
2

18

18-1
3 14 3
290
壓百褶，褶深4cm，
褶面4cm，腰圍重疊
份量褶面1.5cm
#20
百褶裙(馬面裙門)
#18
百褶裙
3

17-4
完成腰圍64cm
32　　32
5.5　32　32　3
11　　　4
#17　#17
褲子(後片)　褲子(前片)
116
43　　36

Scale 1:25

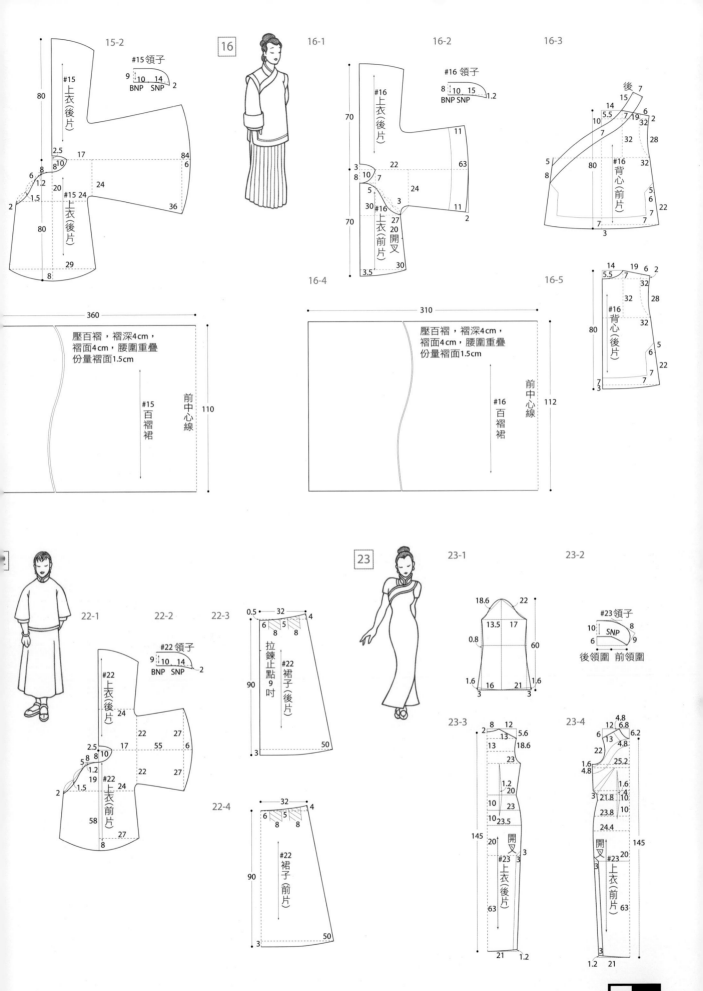

15-2

#15 領子
9 | 10 | 14 | 2
BNP SNP

#15
上衣(後片)

80

2.5
17
8 10
6
1.2
2
1.5
20
84
6
24
#15 24
上衣(後片)
36

80

29
8

360

壓百褶，褶深4cm，
褶面4cm，腰圍重疊
份量褶面1.5cm

#15
百褶裙

前中心線

110

16

16-1

16-2

#16 領子
8 | 10 | 15 | 1.2
BNP SNP

#16
上衣(後片)

70

11

3
22
63
8 10 7
5
24
3
30 #16
27
上衣
20 (前片)
開叉
30
70

3.5

16-3

後 7
15
14
5.5 7 19 6 2
10 7 32
7 32 28

5
8
80
#16
背心
(前片)
32
5
6
6
22
7
3

16-4

310

壓百褶，褶深4cm，
褶面4cm，腰圍重疊
份量褶面1.5cm

#16
百褶裙

前中心線

112

16-5

14 19 6 2
5.5 7 32
7 32 28
80
#16
背心
(後片)
32
5
6
22
7
7 3

22-1

22-2

22-3

#22 領子
9 | 10 | 14 | 2
BNP SNP

#22
上衣(後片)

24

2.5
5 8 10
1.2
19 #22
2 1.5
22
17
55
24
22
27
6
27
上衣(前片)
58
27
8

0.5
32
4
6
5
8
90
拉鍊止點9吋
#22
裙子(後片)
50
3

22-4

32
4
6
5
8
90
#22
裙子(前片)
50
3

23

23-1

18.6
22
13.5
17
0.8
60
1.6
16
21
1.6
3
3

23-2

#23 領子
10 | SNP | 8
6 | 9
後領圍 前領圍

23-3

2 8 12
13 5.6
13 18.6
23
1.2
20
10 23
10 23.5
145
20
開叉
#23
上衣(後片)
3
63
21
1.2

23-4

4.8
12 6.8
6 13 4.8 6.2
22 25.2
1.6
4.8 1.6
4
3 21.8 10
23.8 10
24.4
145
20
開叉
#23
上衣(前片)
63
3
1.2 21

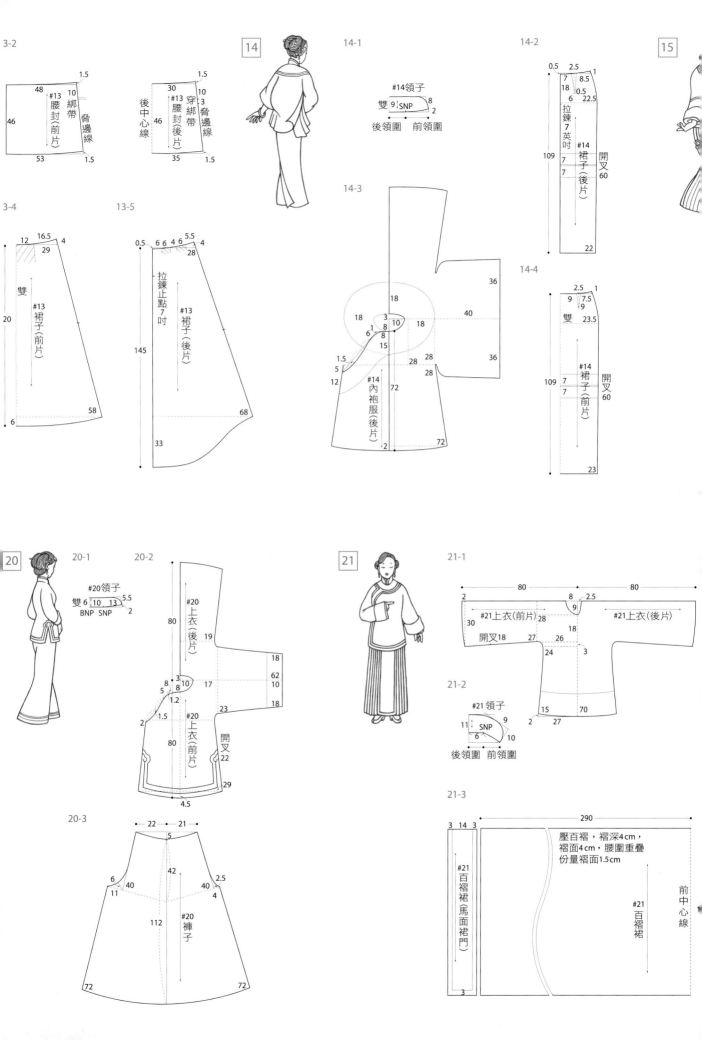

3-2

1.5
48 10 #13腰封(前片) 脅邊線
46 綁帶
53 1.5

30 1.5
後中心線 #13腰封(後片) 10 脅邊線
穿綁帶
46 綁帶
35 1.5

14

14-1

#14領子
雙 9 SNP 8
2
後領圍 前領圍

14-2

0.5 2.5 1
7 8.5
18 0.5
6 22.5
拉鍊 7 英吋
109 #14裙子(後片) 開叉60
7
7
22

3-4

12 16.5 4
29
雙
20 #13裙子(前片)
58
6

13-5

0.5 6 6 4 6 5.5
28 4
拉鍊止點7吋
#13裙子(後片)
145
68
33

14-3

36
18
18 40
3 10
6 1 8 18
8
15
1.5 36
5 28
12 28
#14內袍服(後片) 72 28
2 72

14-4

2.5 1
9 7.5
9
雙 23.5
#14裙子(前片) 開叉60
109
7
7
23

15

20

20-1

20-2

#20領子
雙6 10 13 5.5
BNP SNP 2

#20上衣(後片)
80 19
18
62
10
8 3 10 17
1.2 18
2 1.5
#20上衣(前片) 23
80 開叉22
29
4.5

20-3

22 21
5
6 42
40 40 2.5
11 4
112 #20褲子
72 72

21

21-1

80 80
2 8 2.5
9
30 #21上衣(前片) 28 #21上衣(後片)
開叉18 27 26 18
24 3
15 70
2 27

21-2

#21領子
11 9
SNP
6 10
後領圍 前領圍

21-3

290
3 14 3
壓百褶,褶深4cm,
褶面4cm,腰圍重疊
份量褶面1.5cm
#21百褶裙(馬面裙門)
#21百褶裙
前中心線
3

珠寶首飾

我自己不常戴珠寶首飾，卻很喜歡做
閃閃發亮的美麗珠寶，那跟京劇裡的服裝頭飾有很大的
關係。以前看著媽媽在舞台上穿綾著緞，一頂頭飾上不知綴著多少亮
晶晶的珠寶，真是好不神氣！那印象一直跟著我，使我迷戀華麗的
造型，鮮艷的色彩。

六年前開始學著玩珠寶設計，從敲打光潔無華的金屬片開
始，但我總急著為它們配上亮晶晶的水晶珠寶，於是開始採買漂亮
的原料。哪知珠寶原料的採買規矩，一次就要以1440個為計算單位。我第一
次買的是紅水晶，想儘早用完那一大堆，只好拼命的設計。然而單一的色彩哪能滿足我
對那些舞台頭飾的繽紛愛戀，於是掉入了各種顏色的1440個陷阱裡。展示出來的分成紅
色、珊瑚、藍色、黑白色、石榴與綠色、銀色等。

匠心手藝

春之禮

禮尚往來～談送禮的藝術

儒家典籍《禮記》有云：「禮尚往來，往而不來，非禮也，來而不往，亦非禮也。」意即別人以禮相待，也要以禮回報。明代李詡也說：「禮有往來，人情相望也久矣，不可以徒受也。」意即禮能夠保持人情和諧，而禮數也是一種需要學習的功課。

中國本是禮儀之邦，可惜的是，這個好的風尚逐漸被快速而忙碌的時代所淡忘。關於基本的禮節，我將在另外的篇幅裡探討，這裡先談談送禮的藝術。

什麼樣的東西是合宜的禮物？且看以下幾個送禮的例子。我的同學麗莎，老家在台灣，婚後住在洛杉磯。她母親聽說洛杉磯冬天很冷，覺得出去買菜穿棉襖既輕便又保暖；為了取悅親家母，特別去買了不怕髒又耐用的棉襖，千里迢迢寄過去。住在洛杉磯的親家母愛時髦，覺得這種深色的肥大棉襖穿上身會讓她老十歲，收到禮物後一直怒不可遏。而且，為了報復，等媳婦過四十歲生日那天，把它轉送給麗莎做生日禮物，從此三方關係破裂了。麗莎氣急敗壞的說給我聽，我則數落她自己不夠敏銳。「兩邊都是妳的親人呀，妳明知道婆婆愛時髦，當然要先跟自己的母親說明白。」——本是一番美意，一件棉襖卻造成情感裂痕，到現在都沒有辦法彌補。

美食作家王宣一，也有一個送禮的故事。她小時候與家裡的兄弟淘氣，會在收到的禮物上做個很小的記號，媽媽不知情，予以轉送出去，結果過一陣子那件禮物又原件送回自己家。這表示那份禮物不討人喜，才會被人送來轉去。

有次在牌桌上，我聽到某太太拿百貨公司的贈品當禮物的故事，收到的太太邊說邊碰的一聲把手中不要的那張牌丟出去，好像那張牌就是那件不受歡迎的禮物。貪圖便宜或是轉出去自己不要的東西當禮物送人，結果就是如此不堪。

還有一次我去長輩家賀壽，走入門口就見樓梯邊丟了兩盆花，進了門則是一片花團錦簇。我問了佣人才知道，丟在門口的兩盆花，一盆有白花，老太太一看就生氣，另外一盆則是花已開過頭，老太太說拿快謝的花送人，沒誠心！這不免讓我替那兩個送花的人感到委屈，他們如果不送還不會被罵呢！送花一般都透過花店，自己沒親眼見到，真是挺驚險的！禮多人還怪，多麼划不來！

　　另外一位朋友說他收到一瓶珍貴的酒，可惜是假的！送禮的人可能要巴結他，特別去買了一瓶即將失傳的金門黑金龍高粱，送者可能還費了很大的功夫才找到這樣的酒，但因為不在行，不知那是假貨。而收者比送者在行，一看就看出是假酒，本來也是一番美意，卻因此可能毀了一樁生意。

　　我不敢說什麼物件一定是合宜的禮物，但以上的例子則說明了什麼是不合宜的送禮態度。首先要了解的是送禮的對象，大致上要先了解背景才不會送錯，其次是「己所不欲勿施與人」，再來是委託花店送禮，一定要講明用途的性質，才能避免忌諱，如能親自去挑選則更好。最後是，自己不內行的東西不要碰，因為風險太大，花了大錢還可能得罪人。

　　其次談談禮物的包裝。小時候我們家一年三節都要張羅著送禮，每個禮物都用一張紅色花紙包裝，上面印了很多壽字，再配上爸爸媽媽白底紅字的名片送出去。我們收到的禮，也大多是一樣的包裝，一樣的名片。大概我三年級的時候，有一次家裡收到一份包裝不同於當時千篇一律的禮物，我忍不住馬上想看那裡面藏了什麼寶貝，媽媽卻說要等爸爸回來才一起看。終於等到爸爸回來，他又說要等哥哥回來再一起看。我就這樣呆呆的看著那個有著嫩黃色包裝紙的禮物，不斷的幻想裡面裝著什麼寶物。到了晚上，我們全家擠在桌子前，一起打開那份嫩黃色包裝的禮物，充滿了新鮮與好奇。禮物是食物，用幾個杯子裝著，好像是布丁之類的甜點。如今那口味已經不記得，記憶猶新的是那嫩黃色彩映在我們家老氣的柚木皮裝潢上，烘托著全家人擠在一起拆禮物的快樂氣氛。那快樂的氣氛已是遙遠的記憶，對我卻有深刻的影響。後來我做禮品設計時，色彩是我設計包裝的第一原則，因為色彩能達到第一層視覺上的焦點。如果能讓禮物本身會說話，則是一個成功的包裝設計。而若能讓禮物本身就是一個包裝，就更是一個承載著環保意念的禮品設計。

　　每一個節日，仁喜與我常收到親朋好友們送來的禮物。因為要回禮，我去百貨公司仔細瀏覽，發現看得上眼的，我們買不起；買得起的又送不出手。於是我認真思索這每一季都會面對的問題，開始了業餘玩票的禮物設計。

　　在設計過程中，因為我本身所學與從事的行業，擁有不少資源，多年來跟很多大小工廠合作，可以不斷開發創意並進行實踐，算來也已歷經了二十幾年不同色彩的季節轉換。這段期間的每一份創作或小小的模仿，都有它背後的心情故事，我總堅持著讓每一份禮物盡可能的完美呈現。仔細的回想，所以會有這樣的堅持，其實不過是希望對方能夠像我小學三年級一樣，收到的是一個叫做「快樂氣氛」的禮物！── 對我而言，送禮若能兼顧氣氛的掌握，即是最高的送禮藝術。

台灣
紅

　　每一個地區的女人，都會對當地慣用的，富有地方特色的某樣材質，有著不一樣的感情。台灣的宜蘭，就有一種著名的「台灣紅」花布，我們在布店或被服店也能看到它的身影，從小看到大，越來越喜歡！近年來看到類似的花布，來自四川、雲南等地，但色彩上綠色比例較重，打散了紅色的主軸。

　　「台灣紅」的顏色華麗繽紛，大紅配粉紅或橘紅，不但充滿了喜氣與活力，也同時保有著嬌柔與媚艷，很少能在一塊布料上，能找到如此多樣的特質。最巧妙的是，將之跟其他東西放在一起，並不會有喧賓奪主的感覺，這塊布早年就被農村婦女包在斗笠上，用在門簾上，甚至做成被面。

　　這塊印在棉布上的「台灣紅」圖案是遠東紡織生產的，棉布很細緻，可塑性很強，我喜歡用它來設計禮物。我相信收到禮物的人，都會覺得既熟悉又溫馨。因為這個與庶民生活結合的視覺影像，流露一種無言的默契，讓人覺得很親。我用它做了各種大小形狀的包包，便當袋，毛巾，鞋帶，燈籠，檀香扇，杯子套，茶壺套等等，都是非常實用的生活物件。禮物單元所展現的實品，是一些創意的介紹，讀者當然也能藉此衍生更多更好的設計創意。

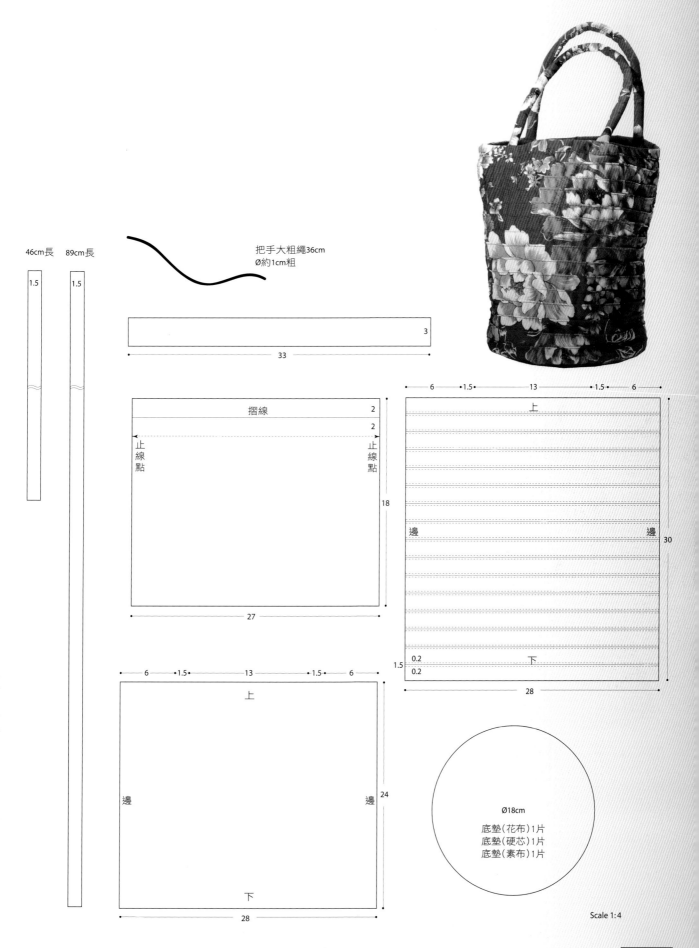

46cm長   89cm長

1.5   1.5

把手大粗繩36cm
Ø約1cm粗

3

33

摺線   2

2

止   止
線   線
點   點

18

邊   邊   30

6   1.5   13   1.5   6

上

下

0.2
1.5   0.2

28

27

6   1.5   13   1.5   6

上

邊   邊   24

下

28

Ø18cm

底墊(花布)1片
底墊(硬芯)1片
底墊(素布)1片

Scale 1:4

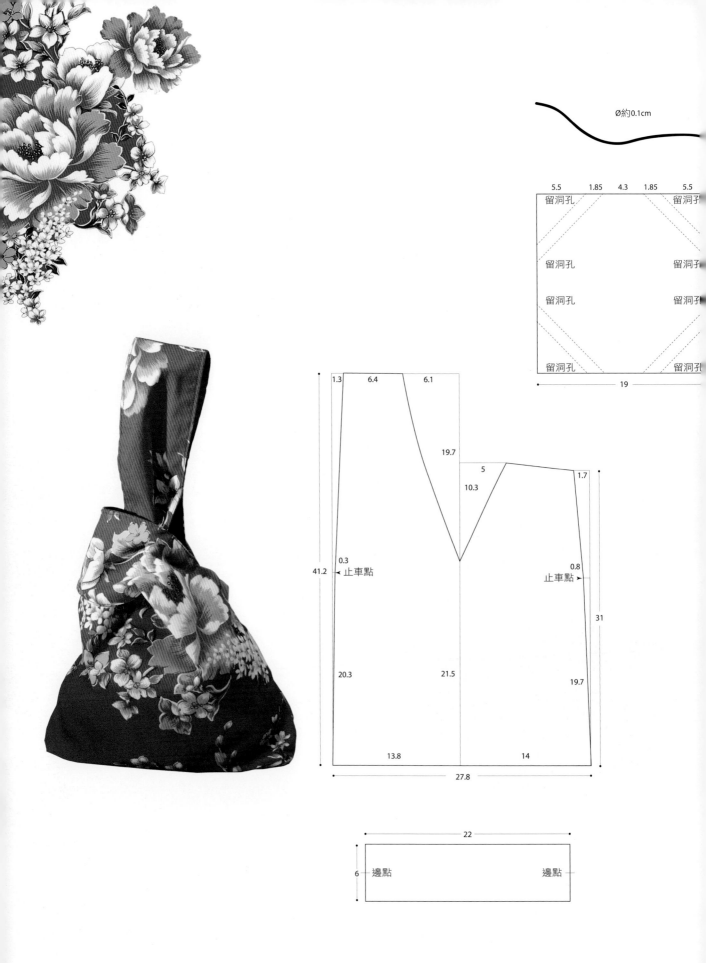

Ø約0.1cm

5.5	1.85	4.3	1.85	5.5

留洞孔   留洞孔

留洞孔   留洞孔

留洞孔   留洞孔

留洞孔   留洞孔

19

1.3   6.4   6.1

19.7

5
10.3

1.7

0.3
止車點   止車點   0.8

41.2

31

20.3   21.5   19.7

13.8   14

27.8

22

6   邊點   邊點

5.5　1.85　4.3　1.85　5.5

留洞孔　　　　　留洞孔

留洞孔　　　　　留洞孔

留洞孔　　　　　留洞孔

留洞孔　　　　　留洞孔

19

內袋(花布) 2片

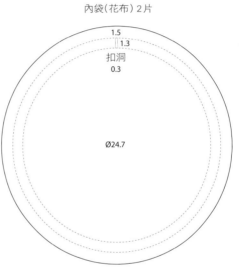

1.5
1.3
扣洞
0.3

Ø24.7

帶子(素布)1片
長81cm

2

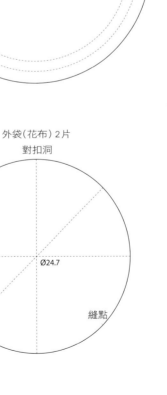

外袋(花布) 2片
對扣洞

縫點

Ø24.7

縫點

四 173
匠心手藝

花

蛋糕

　　春天百花盛開，我們家的那株櫻花，是最晚開花的一批。花片在樹上看起來是粉紅色
的，落下來卻是粉白色的。它們盛放的時間很短，稍縱即逝的身影讓人珍惜，我決定設計一
款可以存放的花藝，答謝它們年年春日帶給我們如此美麗的視覺享受。

　　我把網子放在櫻花樹下承接飄落的花瓣，配以九重葛花瓣或枯枝，以衛生紙包夾放入書
頁裡，乾燥之後移入從瓶瓶罐罐商店買回的大小培養皿，粗大的枯枝則用粉碎機打碎，再找
一些現成的乾燥花朵染色，讓顏色鮮豔一點，搭配一些枝子磨出來的深淺咖啡色系，最後就
可以落成一個蛋糕塔。這是一個零膽固醇，有著永久賞味期的蛋糕花藝。

山蝴蝶

　　正當春天的花兒們大多枯萎的時候，我們家附近山裡的山蝴蝶卻盛開了。它是木本的植物，梢頭長出的花瓣卻像白蝴蝶一樣。偶而幾隻白蝴蝶飛過去，還真分不清誰是蝴蝶誰是花呢！

　　每年春末，當我走過山蝴蝶盛開的小徑時，總會想起蔣勳老師送給我的一幅字。

此生是蛹　來是要化作遍山的蝴蝶
此生是種子　來是要飛成漫天的花絮

　　蔣老師的聲音很有磁性，而又非常悠揚，很像山裡的蝴蝶穿梭於青綠的葉片間。山蝴蝶有時候可以在花市買到，搭配春天的梅子樹枝，一派動中有靜的春末風情。

家

齊心語

給兒子的信～
賈寶玉 呀!

　　二〇〇五年母親節那天,仁喜與孩子們吃過早餐就要出門,說要讓我獨個兒在家清靜清靜。他們的神情看起來有點詭異,我的心思可也會琢磨,猜想這個母親節可能收到一個不在我 wish list 中的禮物!果不其然,近中午的時候門鈴響了,我開門一看,他們圍成半圈,大女兒手上抱了一隻毛茸茸的東西,我還來不及看清楚,那毛毛的、熱熱的、重重的東西已經塞到我懷裡了。

　　原來,那是一隻灰黑白三色相間的哈士奇!

　　仁喜說牠是個少爺,才兩個月大,是他們花了一上午精挑細選的。我驚喜得說不出話來,一直笑著對牠左看右看,仔細端詳。牠卻只平靜的看著我,沒有掙扎,沒有驚慌,靈秀優雅,一派貴氣。

　　「賈寶玉呀!」我在心裡驚呼了一聲。

　　那是牠的名字的由來。

賈寶玉長得真是俊美。牠的毛色灰黑白相間，胸前的白色會隨著不同的光線而呈現暖白、雪白與蒼白，灰黑色則層次繁密的順著耳朵一根一根向上排列。牠的臉也是白的，杏眼一般的眼睛黑得發亮，內眼瞼細細一條白線，周邊又圍著一圈參差有致的黑毛。牠的嘴型有點尖，嘴唇一圈黑，像是隨時在笑的樣子。牠的每一吋肌肉完美勻稱，腳掌略肥，渾圓而厚實。最奇特的是牠的鼻子，中間有一塊淡淡的粉紅色，那一小塊粉紅，雜在灰黑之中看似一種缺陷，卻是多麼嫵媚的點綴。而牠那天真無邪又極度自信的眼神，總讓我想到林黛玉初次見到的賈寶玉：

「面如敷粉，唇若施脂，轉盼多情，語言常笑。

天然一段風騷，全在眉梢，平生萬種情思，悉堆眼角。」

賈寶玉初來我家時，就像周歲左右剛會走路的小孩模樣，是一種需要被擁抱的形狀。每次抱著牠，與那雙讓我「神魂顛倒」的眼睛靜靜的對望，我常陶醉得一句話也說不出來。

「賈寶玉呀！」我在心裡嘆息著。

我們家原本就有收留三隻流浪狗，賈寶玉加入後，雙方需要一段適應期，起先不敢把牠放到院子裡，讓牠暫時住在離我們最近的陽台。有時我已經上床關燈蓋好被子準備睡覺，為了想再看牠一眼，會再起身，看牠確實睡得好好的，才安心回到床上入眠。但是每天一早我還沒睡醒牠就醒了，發出「來人呀，來人呀！」似的叫聲，希望有人去陪牠。我一向晚睡慣了，最怕一早被吵醒，唯獨對賈寶玉的叫聲是心甘情願逆來順受的，仁喜對此還頗為吃味哩！不過賈寶玉懂得分寸，不會像其他小狗一直叫個不停。有時我們故意不理牠，躲在旁邊偷看，只見牠叫了幾聲後靜下來，神態安然的四處看看，對著空氣望著天空，或者跟陽台上的小昆蟲戲耍，倒也自得其樂的樣子。

然而故意冷落牠是要付出代價的。等我們走到陽台，牠會一頭衝進你懷裡，然後用頭慢慢的蹭你，彷彿是在一股腦兒的數落你：怎麼可以把我寶玉丟著不管啊？你難道不懂什麼是寂寞嗎？接著，最激烈的抗議來了，牠會用牙齒不輕不重的咬你的手。那時，你好像做錯了事在接受懲罰，決不敢縮回你的手。我們全家五人的手掌，都曾留下那抗議與懲罰的痕跡。

除了早晨的「來人呀，來人呀！」，賈寶玉平日裡深悉「沉默是金」之道，從不會隨便亂叫。如果聽到牠不斷的嚎叫，那一定是牠有了什麼重大發現。牠住到院子後，有一次對著圍牆嚎叫不停，我走近一看，原來牆腳爬行著一隻很長的蜈蚣。還有一次是半夜一點鐘，牠的嚎叫像低沉的怒吼，我們下樓一看，牠正對著客廳門口的傘桶又叫又繞，傘桶的半腰似乎橫著一把傘，待走近才看清，那是一隻又粗又大的紅斑蛇！奇怪的是，在那關鍵的時刻，其他幾隻平日喜歡汪汪亂叫的狗兒，竟然沒有任何反應。

賈寶玉不但警覺性高，而且天生有教養。譬如我們用手餵牠食物時，即使牠很餓很想吃，也永遠不會急著張口露齒大咬，牠一定溫柔的用舌頭把食物小心舔進嘴裡，而舌頭決不會碰到你的手。多麼懂得禮貌的少爺啊！

　　有時我們帶牠出去玩，放開鍊子讓牠在寬闊的草地瘋一下。牠決不會跑遠，還一邊跑一邊不時回頭看我們，永遠保持視線跟著我們。等我們決定回家了，不用大聲叫喚，只要站著原地不動，不看牠，過不了多久牠就會自動跑回來，低下頭讓我們拴上鍊子。

　　平時我們總是很小心門禁的，一回一個工人來我家忘了關門，等我們發現時寶玉已溜出去了，一家人急得從前門奔出去尋找。當我們四處找不到而氣急敗壞，幾乎要哭出來的時候，發現牠竟乖乖的坐在後門口等著，眼中流露出闖了小禍「不好意思」的神色，讓我想教訓牠幾句都說不出口。

　　牠不止與我們有默契，也懂得不時表達對我們的感情。我們去爬山，常常是仁喜牽著牠走得比較快，我走得比較慢，牠發現我沒跟上就會停下來，等我到齊了才肯繼續走。我們出國幾天，回到家一定會接到牠的歡迎大禮——頻頻跳起來親我們的臉；最多的一次是對我的兒子JJ，跳起來親他十二次之多。

　　賈寶玉是我們的開心果。每次牠到室內來，由於磁磚地板很滑，牠坐著沒有辦法控制打滑，漸漸的，屁股會一直往後挪。為了用力抵擋，牠的兩隻腳會慢慢變成一個「大」字，臉上流露一種不知怎麼辦才好的無奈表情，讓我們全家笑翻了。

　　有一次牠到廚房來演出一齣歡快的撒野遊戲，也讓我們看得停下碗筷，幾乎忘了吃飯。那次是女兒不小心把冰塊掉在地上，牠立刻奔過去舔，舔一下冰塊就滑動一下。牠以為冰塊是個有生命的玩具，開始猛搖尾巴，對著冰塊叫，對著冰塊笑，並且企圖用腳去踩住它。牠那肥厚的腳掌墊子伸出去又縮回來，努力了兩次才好不容易踩上冰塊，卻也隨即滑倒了。但是牠不氣餒，為了鼓舞自己士氣還繞著廚房的中島快跑了幾圈，然後再度興奮的撲向冰塊。如此踩上了又滑倒，連續幾次奮戰不休，惹得我們也想加入遊戲，拿出更多冰塊讓牠踩。看到冰塊增多，牠更興奮了，猛搖了幾下尾巴就用力的雙腳一伸踩上去，結果是加速的對著櫃子滑過去，瞬間撞個四腳朝天！牠氣極敗壞的爬起來，改變戰略，不再去踩那些讓牠滑倒的冰塊，而是把臉對準冰塊不斷的怒吼，叫罵，彷彿在質問冰塊：你為什麼要害我滑倒啊？……

　　那天真可愛的卡通化情節，確確實實是我家的賈寶玉在演出呢。

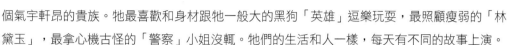

　　我們家的流浪狗，各有坎坷的身世。賈寶玉來我家的第二年，我們又收留了「林黛玉」和「木屐」；加上原有的「英雄」、「哥弟」、「警察」，賈寶玉身處其中確實像個氣宇軒昂的貴族。牠最喜歡和身材跟牠一般大的黑狗「英雄」逗樂玩耍，最照顧瘦弱的「林黛玉」，最拿心機古怪的「警察」小姐沒轍。牠們的生活和人一樣，每天有不同的故事上演。

　　「林黛玉」也是一隻哈士奇，是前年年底我開車經過中山北路晶華酒店時撿來的。當時牠在酒店前的花園附近徘徊，如果不是紅燈讓我停下來多看她一眼，我們也不會有這一個緣的。我看到她受傷的樣子，就停下車來關心一下，她的後右腳大概被車子輾斷，剩下扁平的半截，三支腳一跛一跛的，瘦弱得好像隨時會倒下的樣子。我問了附近的人，才知牠是一隻流浪狗。後來送牠去到動物醫院檢查，醫生說一般流浪狗常罹患的心絲蟲病、皮膚病牠都有。醫生還在牠身上發現了晶片，我們照晶片上的電話打給牠的主人好幾次，對方都不予回應，顯然是有意遺棄，我才決定收養牠。

　　牠是個小姐，毛色和賈寶玉相近，年齡也差不多，可能在外流浪期間常常挨餓，腳被車子輾過，身上又有病，體型比賈寶玉足足小了一半，加上一臉病容，我們就喚牠「林黛玉」。牠來我家後，每天都要吃藥擦藥，一年三百六十五天不在愁中即在病中，花了我不少心血照顧，始終也沒見牠硬朗起來。寶玉大少本是習慣讓人伺候的，對黛玉小姐卻真的懂得憐香惜玉，呵護備至，有時還會幫黛玉舔身上的傷口呢。

　　不過寶玉沒經歷過流浪，不知生活疾苦，有時也會受到其他狗兒的戲弄，最典型的一件事是吃早餐。每天上午，我們的每一隻狗會得到一片吐司麵包，寶玉大少當著我們的面一口咬下去吃完，其他的狗兒則各自找個角落，細細嚼食牠們擁有的美食，心機特多的「警察」，最常搬出牠的戲碼作弄寶玉。

　　「警察」是個老小姐，一身黑色長毛，其實體型最小。牠當流浪狗時也許在險惡江湖吃過大虧，養成了敏感又卑微的性格，最善於卑躬曲膝，搖尾乞憐。我們每天回到家，其他狗兒一擁而上進行歡迎儀式時，牠總是孤獨的縮在一旁搖著尾巴，用幽怨的眼神說著：我在這裡恭候你們呀！如果你沒有立刻用眼神回答牠，拎著大包小包就要脫鞋或是衝進客廳趕著接電話，牠會衝到你身邊，冷不防的用那乾瘦似竹枝的冰冷爪子用力抓你一下，再用那委屈極了的神情看你一眼，此時你只用眼神回答是不夠的，你還得摸摸牠的頭，溫柔的說：「乖，對不起，我剛才沒看到你！」否則牠的尾巴會搖個不停，冰冷爪子還會冷不防的伸出來，決不善罷干休。

「警察」小姐如果心血來潮想演出戲弄寶玉先生的戲碼，你就會看到寶玉一口吃掉牠的吐司後，「警察」故意擺出一副受過教養的女性坐姿，腰從平日的懶散變成挺直，右前腳輕輕的搭在左腳上，像婦人畫報中那種凝視空氣的少婦，腳前則方方正正放著那片屬於牠的吐司，十幾分鐘一動也不動的在賈寶玉面前展示「我有你沒有」的神氣。不知此中意涵的寶玉，傻傻的繞到「警察」小姐身邊，以「反正你不吃嘛！」的表情試圖把吐司搶過來。那一刻，「警察」擺出來的教養立即消失，換上排練過的兇惡臉孔與眼神，嘴裡不斷發出高高低低的怒吼。你會聽到起先也許是警告，接著也許是叫罵，總之，聽在我們耳裡，那是流浪者對貴族宣洩的由衷不滿。

但是貴族少爺天真無邪，聽不懂「警察」小姐話中有話，仍然在旁邊與牠殷勤對話。從開始的「你不吃嗎？那給我吃囉！」變成「吐司都潮了，還是給我吃算了。」或「好啦好啦，別糟蹋了，就給我吃了吧，謝謝你啦！」最後，變成「拜託啦，給我吃啦，求求你啦！」……

如此「戲耍」了寶玉一陣子後，「警察」小姐有時慢慢吃掉牠的吐司，讓寶玉失望的坐在一旁看著。有時則會故作慈悲，真的把吐司「賞賜」給寶玉少爺。只見牠猛搖尾巴，直說謝謝，一口吃下。

「賈寶玉呀！」

我又在心裡嘆息著：「你怎麼可以為了一片吐司而毀了我對『賈寶玉』的印象呢？」

賈寶玉是《紅樓夢》的男主角，《紅樓夢》則是中國四大古典小說之一，問世至今兩百多年，「紅學」研究也成了世界各國漢學研究的顯學，在中外許多大學設有專門課程。我不是「紅學」專家，沒有資格向孩子們闡釋這部小說的精萃，但是作為一個讀者，我由衷認為《紅樓夢》是中國人的生活寶典，是一部任何時代都適用的百科全書，更提供我們在藝術、哲學與文學上的充沛養分。

在這部章回小說裡，作者曹雪芹寫盡金陵四大家族之首賈府的興衰榮辱，除了敘述賈寶玉與林黛玉、薛寶釵等女子的情愛幻變，更有生動的詩詞，考究的餐飲，藥學養生，建築與服飾形貌的描述等等，細緻呈現清朝極盛時期南京貴族生活的品味與頹廢。全書更透過劇情的轉折，融入佛學，道學，儒學等中國傳統宗教與哲學思想，使人閱讀起來對人生起伏，有更深一層的省思。而那官場文化的虛偽複雜，經濟體系的暗潮洶湧，好像也重現在兩百多年後的金融風暴裡；最近幾年打開新聞，許多政經社會現象幾乎都與《紅樓夢》的情節遙相呼應。人在擁有權力後容易陷入貪婪，在得意忘形時往往種下災難的種子，曹雪芹在《紅樓夢》裡述說的劇情，如今仍天天在晚上八點檔的新聞裡上演。

而且曹雪芹在字裡行間描述的愛恨怨憎，哀傷與懺悔，貪婪與企圖，涵蓋了一切我們日常所見的人事物，全書四百多個角色，沒有全然的好人，也沒有極惡之人，都是一種永恆的，自然的普遍人性。我覺得現代男性要了解女人，最好能夠詳讀《紅樓夢》，從那十二金釵的桃李爭春裡，不同性格的女性會有什麼心機，都可一目了然。

當然，讀過《紅樓夢》的人，每個人的解讀與感受可能都不相同。在台灣，我鍾愛的三位現代作家白先勇，蔣勳，馬以工，都是讀透了《紅樓夢》，並用各自的方式讓現代讀者更親近《紅樓夢》，讓年輕學生理解它的結構與技巧，哲學與美學。

此外，賈寶玉的青春之歌是那麼爛漫無邪，和他的上一代固守儒家思想成了強烈的對比。我自己隨著年齡的增長，每次翻讀《紅樓夢》都告誡自己：要常保赤子之心，不要太被世故所感染，尤其不要變成《紅樓夢》中那些偽善的，道貌岸然的上一代。

賈寶玉是出身於沒落貴族世家的少爺，就當時世俗的封建社會標準，是個與當道價值背離的叛逆少年。但他相貌出眾，靈心慧質，有自己獨特的人生觀與生活品味。他認為人只有真假善惡美醜之分，不該有階級貧富之別。他喜歡平等待人，尊重每一個人的個性，主張各人按照自己的意志自在的生活。在那個重男輕女的時代，《紅樓夢》以他為主軸，透過他與大觀園裡眾多女性的相處，深刻描繪不同年齡不同出身背景的女性，在生活的層層轉折中如何展現生命智慧與進退美學。他與林黛玉的純純之愛，也已成為世間少有的愛情經典。白先勇說，「中國的女人是挖不完的寶藏」，他自己的名著《台北人》中的女人，經歷了一九四九年國民黨撤退來台的轉折，在大時代的盛衰變遷裡，同樣展現了《紅樓夢》裡中國傳統女性堅忍圓熟的生命智慧。當然其中也有女人像「警察」小姐那樣，喜歡扮演戲弄富貴少爺的角色。

《紅樓夢》裡的賈寶玉，心地善良，自在瀟灑，才氣洋溢。我家的賈寶玉，也像他一樣天真爛漫，瀟灑活潑。不同的是，賈寶玉飽讀詩書，從先人的文化結晶中汲取智慧，才氣得以發揮，瀟灑之餘亦知禮數進退。我家寶玉為了一片麵包受到「警察」小姐的戲弄，真的毀了賈寶玉在我心目中的形象，讓我好傷心呀！然而，牠沒讀過一天書，大字不識一個，生活的天地也不如大觀園，哪知那些禮數進退呢？

想通了這一點後，我終於漸漸釋懷了。

清朝晚期　平定廓爾喀　清越戰爭　林爽文事件　二次金川戰　大金

嘉道中衰　癸酉之變　川楚教亂　平定苗疆　京師保衛戰　午門血案　士木之變　浙閩起事　麓川

弓戰爭一　藤峽盜亂　郎陽民變　汪直擅政　曹石之變　奪門之變　賈似道誤國　端平入洛　端平更化　史彌遠專權　嘉定

弘治中興　崔山海戰　襄陽之戰　宋元戰爭　泉州市舶司　李楊專權　募兵制　節度使　開元之治　太平公主　唐隆之變　重俟

制　遼金夏　遼朝　安史之亂　專任蕃將　永明之治　唐寓之起義　蕭道成篡宋　河南之戰　宋室內閧　元嘉之治　南北朝

阿保機建國　唐朝　中唐　恆羅斯戰役　大明曆　蕭衍篡齊　黃晧專權　姜維北伐　諸葛亮北伐　平定南中　夷陵之戰　劉偉

制　藩鎮割據　浮山堰崩塌　夷陵之戰　東吳　魏滅蜀之戰　漢宛之戰　滅衛滿朝鮮　漢武帝幣制改革　馬邑之謀　漢

元顥入洛　鍾離之戰　孫權建國　霍光輔政　巫蠱之禍　伊闕之戰　垂沙之戰　趙滅中山戰　宜陽

論戰　合肥之戰　呂壹專權　鹽鐵論　濟西之戰　齊滅宋之戰　春秋後期　弭兵之盟　樂盈

二宮之爭　王莽篡漢　外戚干政　田單復國　晏嬰相齊　崔慶之亂　攜王余臣　平王

恪專權　新朝與玄漢　完璧歸趙　子產相鄭　楚國稱王　莊公小霸

莊　王莽改制　澠池之會　齊魏滅薛　王子朝之亂　晉國分裂　寒浞奪位　后羿代夏　太康

綠林赤眉起義　負荊請罪　伍子胥奔吳　共叔段之亂　少康中興　神農氏

昆陽之戰　鄢郢之戰　雞父之戰　周鄭交惡　鳴條之戰　五帝時期　共

玄稱帝　莊蹻起事　刺殺王僚　東門之戰　商朝　阪泉之戰

事　遠交近攻　鍾離之戰　繻葛之戰　商湯滅夏　黃帝

稱帝　華陽之戰　柏舉之戰　北戎侵齊　景亳之命　蚩尤　三皇

閼與之戰　墮三都　曲沃滅翼　伊尹放太甲　涿鹿之戰

頁漢　陘城之戰　檇李之戰　齊滅紀　九世之亂　倉頡造字

諸雄　戰國後期　臥薪嘗膽　春秋中期　盤庚遷殷

光武中興　戰國四公子　黃池之會　管仲相齊　武丁中興　牧野

交阯反叛　長平之戰　田恆弒君　長勺之戰　北杏之盟　齊桓公稱霸　尊王

匈奴內訌　竊符救趙　越滅吳　九合諸侯

佛教內傳　義不帝秦　徐州會盟　晉陽之戰　齊桓公稱霸　九合諸侯　尊王

弒君　明章之治　債台高築　三家分晉　戰國前期　李悝變法　魏滅中山　三晉

張昌起兵　白虎觀會議　秦滅周　秦滅六國　秦朝　統一中國　自號皇帝　統一度量衡　書同文　君

劉淵舉兵　班超再通西域　甘英使大秦　外戚宦官亂政　鄧氏稱制　黨錮之禍　西域長史府　漢羌

李雄稱帝　杜弢之亂　苦縣之戰　永嘉之亂　衣冠南渡　西晉滅亡　晉朝　東晉　司馬睿建國　祖逖北伐　王敦

裂　沙苑之役　河橋之戰　邙山之戰　玉璧之戰　北周武帝滅佛　北周統一北方　尉遲迥之亂　隋朝　楊堅稱帝　三省六部　營建

威滅漢　高平之戰　三武滅佛　陳橋兵變　五代十國　十國　劉龑稱帝　孟知祥稱帝　李昪稱帝　白藤江之戰　北漢建國　宋朝

元昊　頒制文字　宋夏戰爭　慶曆和議　遼夏戰爭　梁皇后　永樂城之戰　金夏同盟　任得敬　李安全　蒙夏戰爭　蒙滅西夏

漸　利瑪竇　聖教三柱石　南京教案　崇禎曆書　明末三大案　挺擊案　紅丸案　移宮案　後金　薩爾滸之戰　奢安

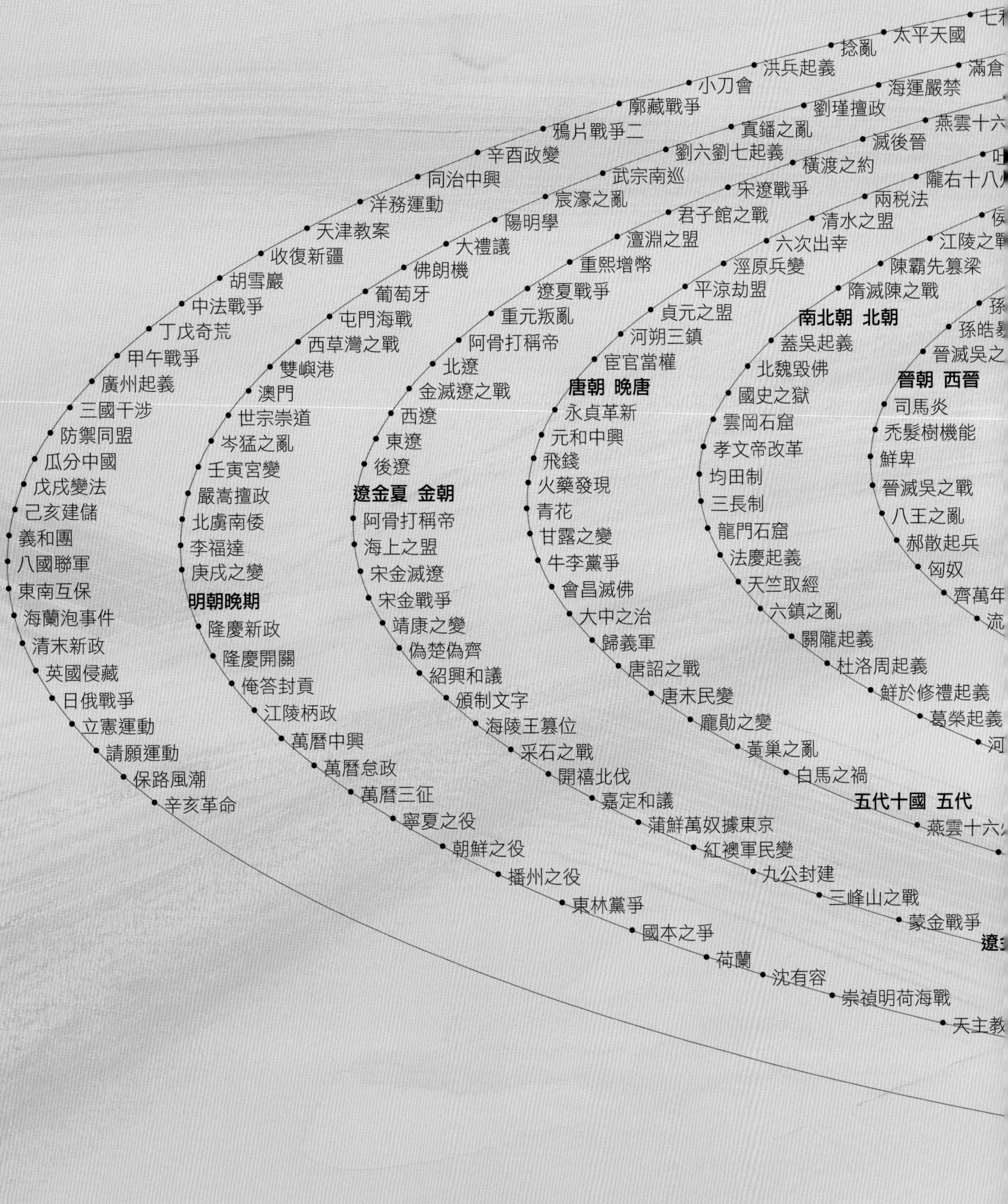
七
太平天國
捻亂
洪兵起義
小刀會
廓藏戰爭
鴉片戰爭二
辛酉政變
同治中興
洋務運動
天津教案
收復新疆
胡雪巖
中法戰爭
丁戊奇荒
甲午戰爭
廣州起義
三國干涉
防禦同盟
瓜分中國
戊戌變法
己亥建儲
義和團
八國聯軍
東南互保
海蘭泡事件
清末新政
英國侵藏
日俄戰爭
立憲運動
請願運動
保路風潮
辛亥革命
滿倉
海運嚴禁
劉瑾擅政
寘鐇之亂
劉六劉七起義
武宗南巡
宸濠之亂
陽明學
大禮議
佛朗機
葡萄牙
屯門海戰
西草灣之戰
雙嶼港
澳門
世宗崇道
岑猛之亂
壬寅宮變
嚴嵩擅政
北虜南倭
李福達
庚戌之變
明朝晚期
隆慶新政
隆慶開關
俺答封貢
江陵柄政
萬曆中興
萬曆怠政
萬曆三征
寧夏之役
朝鮮之役
播州之役
東林黨爭
國本之爭
荷蘭
沈有容
崇禎明荷海戰
天主教
燕雲十六
滅後晉
橫渡之約
宋遼戰爭
君子館之戰
澶淵之盟
重熙增幣
遼夏戰爭
重元叛亂
阿骨打稱帝
北遼
金滅遼之戰
西遼
東遼
後遼
遼金夏 金朝
阿骨打稱帝
海上之盟
宋金滅遼
宋金戰爭
靖康之變
偽楚偽齊
紹興和議
頒制文字
海陵王篡位
采石之戰
開禧北伐
嘉定和議
蒲鮮萬奴據東京
紅襖軍民變
九公封建
三峰山之戰
蒙金戰爭
遼
吐
隴右十八
兩稅法
清水之盟
六次出幸
涇原兵變
平涼劫盟
貞元之盟
河朔三鎮
宦官當權
唐朝 晚唐
永貞革新
元和中興
飛錢
火藥發現
青花
甘露之變
牛李黨爭
會昌滅佛
大中之治
歸義軍
唐詔之戰
唐末民變
龐勛之變
黃巢之亂
白馬之禍
五代十國 五代
燕雲十六
侯
江陵之戰
陳霸先篡梁
隋滅陳之戰
南北朝 北朝
蓋吳起義
北魏毀佛
國史之獄
雲岡石窟
孝文帝改革
均田制
三長制
龍門石窟
法慶起義
天竺取經
六鎮之亂
關隴起義
杜洛周起義
鮮於修禮起義
葛榮起義
河
孫
孫皓
晉滅吳之
晉朝 西晉
司馬炎
禿髮樹機能
鮮卑
晉滅吳之戰
八王之亂
郝散起兵
匈奴
齊萬年
流

朝代

北宋 960~1127AD

遼
907~1125AD

南宋
1127~1279AD

金
1115~1234AD

秦
221~206BC

西漢
206BC~9AD

夏
2100~1600BC

黃帝
2690~2590B[...]

元
1271~1368AD

新莽
9~23AD

東漢
25~220AD

明
1368~1644AD

五代 907~960AD

十國 902~979AD

戰國 476~221BC

唐
618~907AD

東周 770~221BC

商 1600~1045BC

虞舜
2233~2178BC

春秋
770~476BC

隋
581~618AD

唐堯
2333~2234BC

南朝陳
557~589AD

北齊
550~577AD

北周
557~581

南朝梁
531~557AD

東魏
534~550AD

西魏
535~556AD

南朝齊
476~530AD

西周
1045~770BC

南朝宋
420~495AD

北魏
386~534AD

吳 222~280AD

西晉
265~316AD

東晉
317~420AD

蜀 221~263AD

魏 220~265AD

清
1644~1911AD

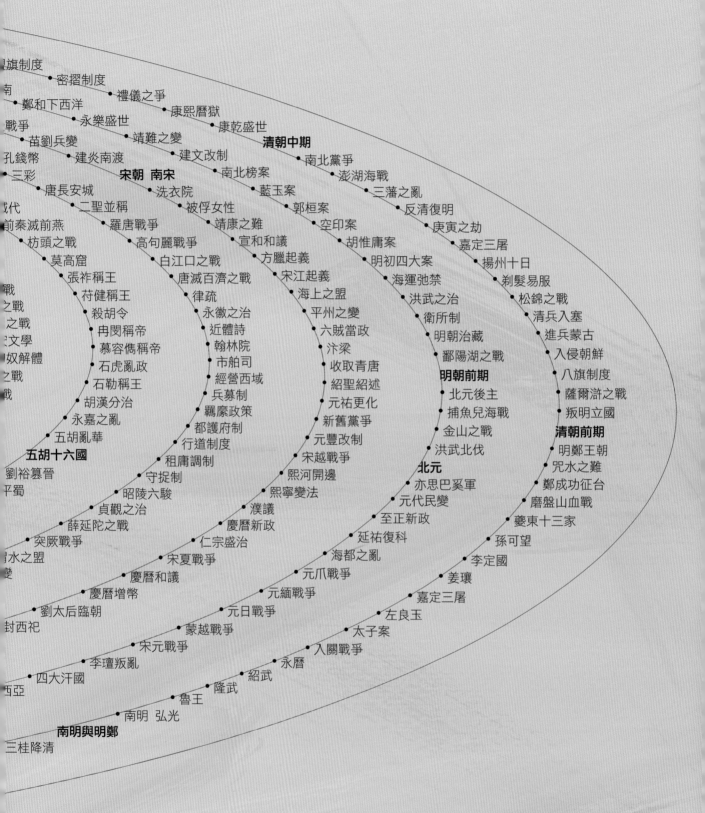

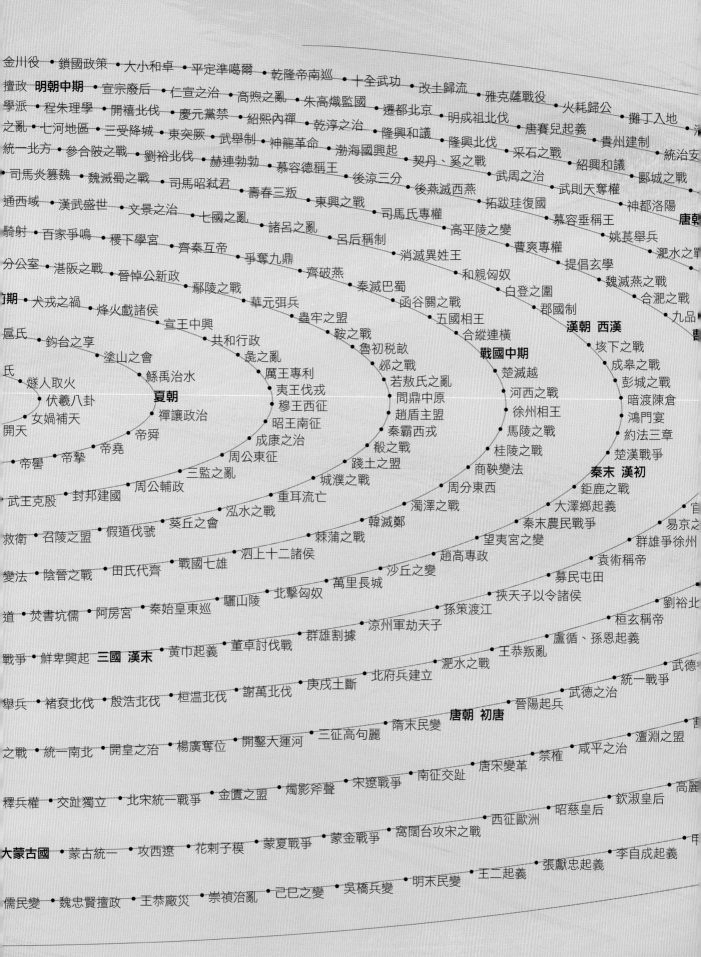

帝王相

元太祖
成吉思汗

唐太宗

漢光武帝

清聖祖
康熙皇帝

太祖

時間軸（上段）

1700	1600	1500	1400	1300	1200	1100

商 (1600~1045BC)

史 部
裴矩《西域圖記》
政治/歷史/地理

子 部
顏之推《顏氏家訓》
哲學/倫理學

子 部
馮延巳《陽春集》
詩/文選

李煜《南唐二主詞》
詩集

史 部
陳壽《三國志》
歷史/政治/軍事

時間軸（下段）

200	300	400	500	600	700	800	900

| 三國 (220~265AD) | 西晉 (265~316AD) | 東晉 (317~420AD) | 南朝 (420~589AD) | 隋 (581~618AD) | 唐 (618~907AD) | | 五代十國 (907~979~) |

史 部
范曄《後漢書》
歷史

子 部
劉邵《人物誌》
歷史

集 部
曹丕《典論論文》
文學批評

史 部
常璩《華陽國志》
歷史/人文

子 部
葛洪《抱朴子》
哲學/人文/歷史

干寶《搜神記》
筆記小說

子 部
宋 劉義慶《世說新語》
筆記小說

集 部
齊 劉勰《文心雕龍》
文藝論述

梁 蕭統《昭明文選》
詩集/文選

鍾嶸《詩品》
詩集/文選

蒙 學
《千字文》
蒙學

十六國 (304~439AD)

北朝 (386~581AD)

史 部
酈道元《水經注》
文學/歷史/地理

楊衒之《洛陽伽藍記》
文學/歷史/地理

子 部
賈思勰《齊民要術》
政治/文學

史 部
玄奘《大唐西域記》
政治/歷史/地理

房玄齡等《晉書》
政治/歷史/地理

吳兢《貞觀政要》《武則天實錄》
政治/歷史/地理

杜佑《通典》
政治/歷史/地理

劉知幾《史通》
政治/歷史

子 部
孫思邈《備急千金要方》
醫學

長孫無忌《唐律疏議》
法律

法海《六祖壇經》
哲學/宗教/倫理學

陸羽《茶經》
哲學/藝術

集 部
沈既濟〈枕中記〉
傳奇小說

李朝威〈柳毅傳〉
傳奇小說

元稹〈鶯鶯傳〉
傳奇小說

集 部
白行簡〈李娃傳〉
傳奇小說

李公佐〈南柯太守傳〉
傳奇小說

蔣防〈霍小玉傳〉
傳奇小說

杜光庭〈虯髯客傳〉
話本小說/傳奇小說

杜審言〈幽憂子傳〉
詩文選

李白《李太白集》
詩文選

杜甫《杜工部集》
詩文選

韓愈《昌黎先生集》
詩文選

白居易《白氏長慶集》
詩文選

柳宗元《柳河東集》
詩文選

杜牧《樊川文集》
詩文選

司空圖〈二十四詩品〉
文學評論/詩

/歷史/地理
史部

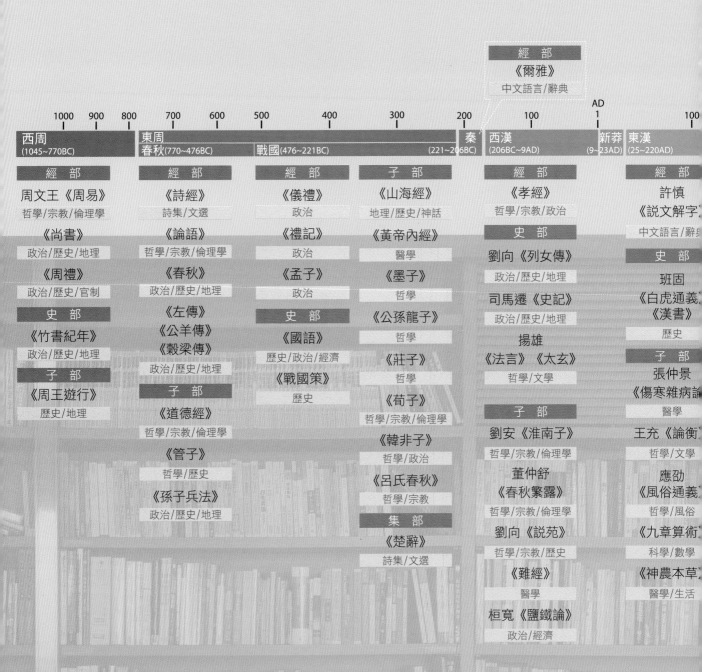

BC 2100	2000	1900

舊石器時代	新石器時代 (8000~2100BC)		夏 (2100~1600BC)

| 1000 | 900 | 800 | 700 | 600 | 500 | 400 | 300 | 200 | 100 | AD 1 | 100 |

西周 (1045~770BC)	東周 春秋(770~476BC) 戰國(476~221BC)		秦 (221~206BC)	西漢 (206BC~9AD)	新莽 (9~23AD)	東漢 (25~220AD)

西周 — 經部

周文王《周易》
哲學/宗教/倫理學

《尚書》
政治/歷史/地理

《周禮》
政治/歷史/官制

史部

《竹書紀年》
政治/歷史/地理

子部

《周王遊行》
歷史/地理

春秋 — 經部

《詩經》
詩集/文選

《論語》
哲學/宗教/倫理學

《春秋》
政治/歷史/地理

《左傳》
《公羊傳》
《穀梁傳》
政治/歷史/地理

子部

《道德經》
哲學/宗教/倫理學

《管子》
哲學/歷史

《孫子兵法》
政治/歷史/地理

戰國 — 經部

《儀禮》
政治

《禮記》
政治

《孟子》
政治

史部

《國語》
歷史/政治/經濟

《戰國策》
歷史

戰國 — 子部

《山海經》
地理/歷史/神話

《黃帝內經》
醫學

《墨子》
哲學

《公孫龍子》
哲學

《莊子》
哲學

《荀子》
哲學/宗教/倫理學

《韓非子》
哲學/政治

《呂氏春秋》
哲學/宗教

集部

《楚辭》
詩集/文選

西漢 — 經部

《孝經》
哲學/宗教/政治

史部

劉向《列女傳》
政治/歷史/地理

司馬遷《史記》
政治/歷史/地理

揚雄
《法言》《太玄》
哲學/文學

子部

劉安《淮南子》
哲學/宗教/倫理學

董仲舒
《春秋繁露》
哲學/宗教/倫理學

劉向《説苑》
哲學/宗教/歷史

《難經》
醫學

桓寬《鹽鐵論》
政治/經濟

東漢 — 經部

許慎
《説文解字》
中文語言/辭典

史部

班固
《白虎通義》
《漢書》
歷史

子部

張仲景
《傷寒雜病論》
醫學

王充《論衡》
哲學/文學

應劭
《風俗通義》
哲學/風俗

《九章算術》
科學/數學

《神農本草》
醫學/生活

■《　》為專書・〈　〉為單篇作品

文學/小説								其他			
文學小説	話本小説/傳奇小説	文藝論述	詩集/文選	類書/百科全書	歷史/人物小説	蒙學	中文語言/辭典	考古	法律	哲學/宗教
武俠小説	章回小説	筆記小説	神魔小説	散文/隨筆/雜著			醫學	科學	建築	
集部					子部	史部	子部			經/子

中國人的出版

齊家心語

民國後

(1911AD)

經 部

熙字典》
文語言/辭典

馬禮遜
經中文譯本》
宗教/哲學

史 部

司《明史稿》
/歷史/地理

清史稿》
/歷史/地理

《清史》
/歷史/地理

誠《文史通義》
歷史/文學

子 部

四庫全書》
/百科全書》

》圖書集成》
/歷史/藝術

《鐵雲藏龜》
考古/文學

《板橋雜記》
/隨筆/雜著

紀昀
草堂筆記》
/隨筆/雜著

集 部

武《日知錄》
文學/雜著

黃宗羲
夷待訪錄》
哲學/文學

《說岳全傳》
/歷史/文學

《說呼全傳》
回小說/文學

集 部

曹雪芹《紅樓夢》
文學小説

文康《兒女英雄傳》
章回小説

吳敬梓《儒林外史》
章回小説/文學

蒲松齡《聊齋志異》
文學/古典小説

劉鶚《老殘遊記》
文學/章回小説

李汝珍《鏡花緣》
章回小説

韓邦慶《海上花列傳》
章回小説/文學

石玉昆《七俠五義》
章回小説

李寶嘉《官場現形記》
文學/章回小説

吳趼人《二十年目睹之怪現狀》
文學/章回小説

曾樸《孽海花》
章回小説/文學

劉大魁《論文偶記》
散文/隨筆/雜著

王國維《人間詞話》
散文/隨筆/雜著

褚人獲《隋唐演義》
歷史/人物小説

李漁《閒情偶寄》
散文/隨筆/雜著

蔡元放《東周列國志》
章回小説

經 部

蔣伯潛《十三經概論》
國圖:經學通論

錢穆《四書釋義》
國圖:群經注疏

屈萬里《詩經釋義》
國圖:群經注疏

史 部

胡適《中國哲學史大綱》
國圖:哲學史

金毓黻《中國史學史》
國圖:中國史學史

錢穆《中國近三百年學術史》
國圖:中國思想學術

連橫《台灣通史》
國圖:臺灣研究叢書

子 部

徐復觀《儒家政治思想與民主自由人權》
國圖:儒學

牟宗三《心體與性體》《中國哲學十九講》
國圖:中國哲學

熊十力《新唯識論》
國圖:現代哲學

勞思光《中國哲學史》
國圖:哲學史

集 部

唐醒、袁周潔民譯《荒漠甘泉》
國圖:基督徒的經驗操練生活

集 部

郁達夫《沉淪》
國圖:短篇小説別集

魯迅《吶喊》《徬徨》
國圖:短篇小説別集

臺靜農《地之子》《建塔者》
國圖:短篇小説別集

賴和《一桿稱仔》
國圖:中國文學

冰心《寄小讀者》
國圖:散文

丁玲《莎菲女士的日記》
國圖:短篇小説

丁玲《太陽照在桑乾河上》
國圖:長篇小説

張恨水《春明外史》《啼笑姻緣》
國圖:長篇小説

朱自清《背影》
國圖:散文

朱自清《經典常談》
國圖:古籍讀法及研究

蘇雪林《綠天》
國圖:短篇小説別集

蘇雪林《棘心》
國圖:長篇小説

楊逵《送報伕》
國圖:長篇小説

茅盾《子夜》
國圖:長篇小説

茅盾《林家鋪子》
國圖:短篇小説

集 部

沈從文《邊城》
國圖:長篇小説

巴金《家》《寒夜》
國圖:長篇小説

謝冰瑩《一個女兵的自傳》
國圖:中國現代人物傳記

老舍《駱駝祥子》
國圖:長篇小説

林語堂《京華煙雲》
國圖:長篇小説

蕭紅《呼蘭河傳》
國圖:長篇小説

張愛玲《傳奇》
國圖:中國文學總論

張愛玲《半生緣》
國圖:長篇小説

徐訏《風蕭蕭》
國圖:長篇小説

吳濁流《亞細亞的孤兒》
國圖:長篇小説

錢鍾書《圍城》
國圖:長篇小説

錢鍾書《人‧獸‧鬼》
國圖:短篇小説別集

梁實秋《雅舍小品》
國圖:散文隨筆

梁實秋《槐園夢憶》
國圖:中國現代人物傳記

集 部

王藍《藍與黑》
國圖:長篇小説

金庸《射鵰英雄傳》《天龍八部》
國圖:武俠小説

林海音《城南舊事》
國圖:長篇小説

余光中《左手的繆思》
國圖:散文隨筆

余光中《白玉苦瓜》
國圖:中國詩別集

紀剛《滾滾遼河》
國圖:長篇小説

白先勇《台北人》
國圖:短篇小説別集

白先勇《孽子》
國圖:長篇小説

黃春明《鑼》《看海的日子》
國圖:短篇小説別集

陳映真《第一件差事》《夜行貨車》
國圖:短篇小説別集

聶華苓《桑青與桃紅》
國圖:長篇小説

高陽《紅頂商人》
國圖:長篇小説

集 部

南懷瑾《論語別裁》
國圖:儒學論語

南懷瑾《如何修證佛法》
國圖:佛教教理各論

南懷瑾《老子他説》
國圖:先秦哲學道家

鍾肇政《濁流三部曲》
國圖:長篇小説

汪曾祺《汪曾祺短篇小説選》
國圖:短篇小説別集

陸文夫《美食家》
國圖:短篇小説

高行健《靈山》
國圖:長篇小説

釋證嚴《靜思語》
國圖:佛教佈教及信仰生活

釋聖嚴《正信的佛教》
國圖:佛教佈教及信仰生活

1000　1100　1200　1300　1400　1500　1600

北宋 (960~1127AD)		南宋 (1127~1279AD)	元 (1271~1368AD)	明 (1368~1644AD)	

北宋 (960~1127AD)

經部
陳彭年《廣韻》
中文語言/辭典/音韻學

史部
司馬光《資治通鑑》
政治/歷史/地理

歐陽脩《新唐書》
政治/歷史

薛居正《舊五代史》
政治/歷史

曾公亮《武經總要》
軍事/政治

子部
唐慎微《經史證類備急本草》
醫學

沈括《夢溪筆談》
百科年鑑/史地

李誡《營造法式》
建築/人文

張載《正蒙》
文學/哲學

程顥/程頤《二程遺書》
文學/哲學

周敦頤《太極圖說》
文學/哲學

李昉《太平廣記》
文學/哲學

集部
歐陽脩《歐陽文忠公全集》
文選/文學

曾鞏《元豐類稿》
文選/文學

蘇軾《東坡全集》
文選/文學

李清照《漱玉集》
文選/文學

陸游《陸放翁全集》
文選

辛棄疾《稼軒長短句》
文選/文學

文天祥《文文山全集》
文選/文學

蒙學
王應麟《三字經》
蒙學

南宋 (1127~1279AD)

史部
孟元老《東京夢華錄》
政治/歷史/文學

子部
朱熹《近思錄》
哲學/文學

朱熹《朱子語類》
哲學/文學

朱熹《四書章句集注》
哲學/文學

集部
《京本通俗小說》
話本小說/文學

《大宋宣和遺事》
話本小說

元 (1271~1368AD)

經部
黃公紹《古今韻會》
中文語言/辭典

史部
紮馬剌丁《大元大一統志》
政治/歷史/地理

汪大淵《島夷志略》
政治/歷史/地理

子部
宋慈《洗冤錄》
醫學/法律

朱世傑《四元玉鑑》
科學

集部
關漢卿《竇娥冤》《救風塵》
戲曲/文學

白樸《梧桐雨》《牆頭馬上》
戲曲/文學

馬致遠《漢宮秋》
戲曲/文學

王實甫《西廂記》
戲曲/文學

蒙學
郭居敬《二十四孝》
蒙學

明 (1368~1644AD)

史部
顧炎武《天下郡國利病書》
政治/歷史/地理

黃宗羲《明夷待訪錄》
政治/歷史/地理

子部
《永樂大典》
類書/百科全書

李時珍《本草綱目》
醫學

徐光啟《幾何原本中譯本》
科學/人文

文震亨《長物志》
建築/藝術

宋應星《天工開物》
科學/歷史/藝術

徐光啟《農政全書》
科學/農業

王陽明《傳習錄》
哲學/文學

集部
李贄《焚書》
哲學/文學

湯顯祖《牡丹亭》
戲曲/文學

王世貞《藝苑卮言》《弇州山人四部稿》
文藝論述

集部
董其昌《容台集》《畫禪室隨筆》
文藝論述

吳承恩《西遊記》
章回小說/文學

蘭陵笑笑生《金瓶梅》
章回小說/文學

許仲琳《封神演義》
章回小說

施耐庵《水滸傳》
文學/古典小說

馮夢龍《醒世恆言》《諭世明言》《警世通言》
短篇小說

凌濛初《初刻拍案驚奇》《二刻拍案驚奇》
短篇小說

西周生《醒世姻緣傳》
章回小說/文學

抱甕老人《今古奇觀》
文學/話本小說

劉基《郁離子》
詩文選

王士禎《漁洋詩話》
詩文選

安遙時《包公傳》
歷史/人物小說

蒙學
程允升《幼學瓊林》
蒙學/文學論集

福慧雙修

仁喜家有個流傳三代的故事。

這故事是跟佛菩薩有關的。

仁喜的阿嬤，年輕時連生了四個女兒，深恐無後為大，就對仁喜的阿公說：「請你娶妾吧！我生不出兒子。」——那年阿公已三十七歲了。但是阿公安慰她，聽說浙江普陀山的觀世音菩薩很靈驗，他想由台灣坐船去普陀山求觀世音菩薩，不久之後，十月下旬，他真的千里迢迢去了普陀山。過了五年，阿嬤生了第五個女兒，四十二歲的阿公再次前往普陀山，但回來後仍然沒有喜訊。阿嬤哭泣的請他放棄她，阿公還是堅決不肯放棄。又過了五年，四十七歲的阿公三度前往普陀山，依例在洞窟深處低頭長跪，虔誠的求菩薩賜給他兒子。過了一個多小時，他抬起頭來，忽見一身白衣的觀世音菩薩，垂著眉張著雙手站在他前方，他於是又低下頭繼續誠心的懇求……。那次回到台灣兩年之後，阿公四十九歲時阿嬤生了第一個兒子，然後阿公五十一歲、五十三歲時又生了兩個兒子。有了三個兒子的阿公自是滿心欣慰，對佛教的信奉也更虔誠了。

阿公在桃園的家有很大的庭園，他對自己與家用都很儉省，卻時常行善助人，對寺廟或救貧的捐款，尤其是不遺餘力。他還曾經請一位專門講善故事的人到家裡住，晚上在庭園裡講古給鄉親聽，內容多半是與佛祖有關的事蹟與教人行善的故事。

阿公活到八十八歲，彌留之際突然大聲的對站在床邊的孩子們說：「佛祖來接我了！你們還不快跪下！」說完了這句話，他即往生而去。

仁喜的父親是阿公的第二個兒子，他很喜歡對兒女說阿公阿嬤的故事，「你們都是佛祖所賜的孩子！」最後他總是這麼說。——仁喜虔信佛教，跟家庭信仰也許有直接的關係。

人對於宗教信仰，大多來自家庭的傳統，或者來自朋友的影響，也有些人則是在情感受挫或心靈困惑時，自我尋求精神的依託，在宗教裡獲得身心安頓的天地。

我在受教育的過程中，常聽師長說，做學生不止是要學習知識，更要學習理性，強化意志，將來才能克服各種生存的難關。但是人身是血肉之軀，人世有各種艱難挑戰，有時難免覺得脆弱無助，希望獲得某種趨吉避凶的宗教力量，藉以沉潛心靈，安身立命。

我所生長的台灣，宗教信仰，經歷了三百多年的融合，具有極大的包容性。不論是東方的儒教、道教、佛教，一貫道，或是來自西方的基督教、天主教、回教，現在都漸漸的跟我們的生活結合在一起，其教義、儀式、組織不但具有潛移默化、凝聚共識的力量，甚至產生了命運一體的觀念。尤其是道教和佛教在各地廟宇舉辦的各種廟會與節慶活動，反映了老百姓敬天、感恩、祈求平安的生活意願，也成為熱鬧活絡，別具地方特色的民俗文化。

「琴書自適，福慧雙修」這一對句子，是已故台北故宮博物院院長秦孝儀先生以其著名的「秦體」書法，贈送給本書作者的，作者則將「福慧雙修」四個字重組，並用銀塊切割成形，做成了飾品。

台灣的大小廟宇多不勝數，連小巷子裡都有香火不絕的佛堂，但一般人往往難以分辨這其中的差別。女兒上美國的大學後，寫信告訴我，她的教授問她我們的宗教的一些問題，她才發現，每天走在街道上，到處都是廟，卻從來不知道其間的差別。我想不只是她，我自己也沒有機會去研究過，趁此機會，查了點資料，做簡單的說明。

道教

台灣的道教廟宇，正式登記的約有七千五百座，通稱「宮」或「觀」或「廟」，主要是供奉天上聖母（媽祖）、玄天上帝（真武大帝）和關聖帝君（關羽）。其中以媽祖的信徒最多，全台約有五百多座媽祖廟，其次是供奉玄天上帝的廟宇（四百餘座），供奉關聖帝君的廟宇（三百餘座）。

道教自東漢中後期形成，是歷史最悠久，包容性最豐富的中國原生宗教，供奉的神明、仙靈、長生不老的聖者，均依其法力及神格的層級分類：「天尊」為上，之下依次為「帝」、「后」、「王」、「仙」、「聖」。這些神仙，包括了史前時代大自然的神靈，以至中國歷史上的賢者哲人、民間英雄、其他宗教的神祇、開創道教宗派的神格化祖師。台灣的道教信仰，除了最有名的媽祖、玄天上帝、關聖帝君外，還有王爺、玉皇大帝、保生大帝、福德正神、城隍爺、文昌帝君、文武財神、註生娘娘等。

道教也是最富神祕色彩的宗教，中國古代的道教甚至修習煉丹，追求長生不老之術。現代道教也仍延續古代的巫術傳統，修習扶乩之法，試圖與逝去的亡靈對話、祈福或和解。信徒在道教寺廟裏向神明求得的護身符，有保佑祝福之意，也可帶來生活的幸福、健康、成功。而具有驅邪鎮煞之效的收驚儀式，巡街走巷繞境保平安的八家將表演，以及一年一度的大甲媽祖回娘家，元宵節鹽水放蜂炮，中元節各港埠放水燈等，都是我們常見的。此外台灣的傳統祭典，如每三年一次南台灣送瘟出境的王船祭醮，這些都已跨越了宗教，成了與台灣庶民生活息息相關的文化活動。

道家

道教的思想，源自於道家，道家的修行則以老子、莊子為代表的先秦哲學系統為主，「人法地，地法天，天法道，道法自然」是道家修行的核心。道家的修行之一，乃養身練氣，讓生命回復到最初的狀態，故有長生不老之說。

佛教

台灣的佛教「寺」或「廟」或「庵」（庵是專指佛教比丘尼居住的處所）或「剎」，正式登記的約有兩千所，供奉的是佛，菩薩，羅漢與護法天神，供奉方式也各有不同。舉一例如三世佛的中間是釋迦牟尼佛（現在娑婆世界的佛），左邊是藥師琉璃光如來（過去東方淨琉璃世界的藥師佛），右邊是阿彌陀佛（未來西方極樂世界的阿彌陀佛）；也有中間供奉釋迦牟尼佛，左脅侍為文殊菩薩，右脅侍為普賢菩薩，合稱「釋迦三尊」。而「三世」也有另外一個解釋，也就是「三時」，指的是過去、現在、未來。在不同的經典有不一樣的解釋。

佛教寺廟中常見的菩薩，有文殊菩薩、普賢菩薩、觀世音菩薩、地藏菩薩、大勢至菩薩。菩薩極富慈悲胸懷與智慧，發願協助凡間受苦的蒼生，菩薩之道也被定義為慈悲心和智慧的融合，兩者融合的極致便會引導人至覺悟之境。中國人有謂「家家阿

彌陀，人人觀世音」。觀音超越男女之相，也具足諸相。眾生需要他以甚麼形象來度化，他就以甚麼形象顯現。然而在中國民間，最受歡迎的就是觀音「女性」的形象或手持甘露，或抱著小孩的送子觀音，還有千手千眼觀音。密宗則為了教化眾生，除了祥和尊外，還有顯現忿怒之相，手持各種法器，以消除一切業障、降伏內外魔障的忿怒尊或是明王；羅漢則有十六羅漢、十八羅漢和五百羅漢。民間傳說的濟公，也列在羅漢之中。護法天神，佛教稱之為「天」，是護持佛法的天神。著名的護法天神有四大天王、韋馱、哼哈二將（密跡金剛）、伽藍神關羽等。

佛教東傳來中國，都依其經典教義修行，佛教的經典，包括經藏、律藏、論藏，通稱三藏經（或「大藏經」）。

釋迦牟尼佛是透過對真理鍥而不捨的追逐而了悟世間真相。其教義也是所有宗教中唯一討論「緣起」、「心」、「空性」與「無神論」的，也因此成為世界上獨特的哲學思維模式，跟科學的對話也越來越頻繁。雖然在外相、形式、文化上，修密宗、禪宗、淨土宗……似乎迥然不同，但實際上所謂的差異，是在於理論上的著重點與修行的方法上，對於各種根器不一樣的學生，佛法有其不一樣的教化的方法，這也是有名的「八萬四千法門」之說。一切佛教的儀式都是一種善巧幫助的工具，目的在於喚醒人們的內在智慧和慈悲，體悟真相。但人們總迷於外在的形式，忽略了儀式真正蘊涵的深層意義。因不解其中意義，這一切看在年輕人的眼裡，反而經常將佛教誤解為迷信的宗教。任何宗教都需要有好的導師帶領，這一點自己需要分辨。多讀原始的經典，可以明白很多的義理；如同你去讀可蘭經，經文上絕對沒有叫你極端的去做傷害無辜的條例，所以佛陀有說「依法不依人」，是很重要的態度，也是後人當依循的。

佛教的「因果」、「無常」、「輪迴」及「業力」的觀念，深深影響著信徒。所以中國人對於「善有善報、惡有惡報」深信不疑，而佛教也特別重視「諸惡莫作，眾善奉行」的教育。常言「積善之家必有餘慶」，所以留給自己與兒女最好的財產不是金錢，而是善心善行的德性。佛法也常用「福慧雙修」四個字，因為當福德與智慧具足時，一切成就的因緣也將出現。

中國人也常常送給別人「福慧雙修」這四個字。有別於其他的祝福語，這四個字有一個動詞，就是「修」字，代表福德與智慧是需要「修習」與「積累」的，是一門需要具體實踐的功課。台灣的慈濟，法鼓山，佛光山，中台禪寺……等佛教組織，數十年來持續的帶領上千萬的信眾，藉由布施，持戒，忍辱，禪定，精進，智慧等的方式，修習生命的福德與智慧。很多為了現代人設計的禪三、禪七等的活動，要學生們拋開一切外像的身分地位等，讓自己淨空，從靜中去觀，認知佛陀所教導的道理；此外也有各種的環保或是救助的活動，讓有心奉獻的人們有秩序的加入善行的行列。而其他如基督教、天主教、回教等也都努力的教導並宣揚善的真理，這些都是修習的課程。

國學大師南懷瑾教授，精通儒、釋、道教，把中國的宗教傳承給無數無法直接了解經典教義的學生們，加上他一生致力於古文化的推動，著作影響深遠，受惠學子無數，他是開啟很多人在宗教與文化傳承的偉大導師。

宗教能夠帶給我們的，是在這個極度競爭、價值無序、欲求生存的生活下，或者說這個精神壓力幾近崩潰的環境下，沒有準則的世間亂象中，提供一個心靈的成長、鍛鍊、撫慰、更甚是醫療的良方，也讓我們有超越狹隘自我的可能，同時還帶來了豐富的社交的律動與文化生活，而最重要的是鼓勵著我們在「福慧雙修」這門人生課程上，不斷的修習與精進。

這是一個形狀為如意的香爐，下層放著印出粉末香可成字形的壓模，中層則把粉末香鋪好，把壓模壓下，讓不間斷的文字串凸起。點燃香粉後，香煙則可順著文字串跑，再把刻印著一樣字串最上層的蓋子蓋上後，一縷煙便從字中跑出來。

藍楠香方

　　我們中國人，除非有特殊的西方宗教信仰，否則大部分的人都拿過香。以前家家都有香爐，現在則變成是玩家的收藏品了。照片中的香粉爐，如意的外爐形狀，香粉壓成凸起的圖騰圖案，點燃後會順著圖騰線條方向慢慢燃燒，蓋上蓋子，香煙則順著蓋上的吉祥句子走，透過蓋子上的圖騰，好像會說話一樣，產生出不可預期的線條，娓娓唸出了這款香爐上「延年益壽富貴吉祥平安長樂宜室宜家」。古人好聰明，這是多麼喜氣的燃香法呀！我有一個朋友喜歡寫書法，她每天必燃香一柱，靜靜的看著煙的走向，她則自其中，臨摹那煙的轉折線條，長久下來，她的字當然有一種脫俗的意境了。

中國最早一本紀錄生活禮儀的史書《尚書》，記載上古時代的祭典儀式即有「至治馨香，感于神明」之句。經過五千多年，現代人的生活更加忙碌複雜，依然保有尊敬祖先神明的美德，每天還是有人心香一瓣的點起一炷香，在家祭拜祖先或在廟宇祭拜神明，祈求祂們廣佈福澤，庇佑生活平安。

　　香的功能不止於祭拜。例如薰香療法，可以使人心神安寧；又如蚊香，可以驅蟲蚊。我家有棵百年香楠木，聽說可以做香，但是一直沒有利用它。最近兩年學種菜，自己做了兩窪回收槽，想以廚餘和樹皮混合製造腐植土。可是每次打開回收槽的蓋子，蚊蠅撲面而出，又不想傷害牠們，就想以煙燻法驅離，於是想到了我家香楠木。

　　這棵香楠木，每年颱風季節總會斷落許多樹枝，形狀好的我拿去做花藝材料，殘椏細枝捨不得丟就堆在工作室旁，乾了以後散發出陣陣微香。我想利用這些殘枝，就到網站買了一個二手的中藥切片機，把枝椏都切成碎片。然後放入中藥磨粉機研磨成粉，再加入我種的各式辣椒，配以花椒子、胡椒粉。混合之後開始焚燒，辛辣的煙燻得我連打幾個噴嚏，流了不少眼淚鼻涕，蚊蟲也果然消聲匿跡了。既然這樣有效，我試著將之放到我種的蔬菜下，效果也一樣神哩！

　　土法煉鋼成功，確實讓我很興奮，遺憾的是無法持久。研磨粉末必須耗費大量人力，燃燒粉末時也得在旁不時翻攪，火苗才不至於熄滅並均勻燃燒，整個過程實在太費人工和時間。如果把粉末製成香，不就可以節省很多時間嗎？這樣一想，我就進一步想了解製香這個學問。

　　根據史實記載，中國的香是黃帝的老師「九天玄女」所發明，製香業者尊稱她「香媽」，奉她為守護神。據說她發明香的靈感，來自父親患了重病昏迷，無法服藥；為了醫治父親的病，她突發奇想把中藥磨成粉末，和以糯米與水做成條狀，曬乾後以火點燃，讓煙霧藥氣慢慢瀰漫於父親的房間。透過這樣的方式，她父親真的漸漸病癒了。——　現在流行的薰香療法，不也是這個道理嗎！

　　為了研究製香，我帶著我家香楠木的殘椏細枝和紅酒到桃園一家老製香廠請教高明。王老闆帶我看他製香的木材，每一棵都大有來頭，像我一樣高度的沈香木或檀香木，一棵動輒上百萬，我的香楠樹枝實在不能相比。王老闆的製香廠，從香腳到打底都是純手工，展香更要大手勁的掄

紙扇，必須經過四五次再抖再曬的程序，相當耗費人力和時間。看著碩果僅存的老師傅費力的忙著製香，想到人家做香是供給眾生向神明祈福，我做香卻是為了驅離蟲蚊，也就不好意思把香楠樹枝拿出來獻醜。

王老闆說，香的需求量很大，只是會做的人越來越少，而機器能代替的有限，所以價碼節節攀升。一般的製香廠大多設在寺廟旁邊，要去拜拜的人通常都會買同一家的香去拜同一個廟的神明。他還說，有一天午睡時，夢到神明告訴他一帖製香的配方，醒來後記下配方，然後開始製作；很多製香的人據說都會做類似這樣的夢。這也是為什麼求神問卜後拿香灰回家吃會有效，「因為那是神明專利的中藥配方呀！」他說。

不過現在有些做香的廠商沒那麼有良心，在偷工減料的製香過程中添加火藥，硝，石灰，以助燃燒，這樣會產生致癌的化學物質，真是傷天害理。王老闆說，如果點香後滿屋子煙，或用手摸香上的灰會燙手，那一定是加了火藥或其他化學助燃物。也因如此，香的價錢相差很大，購買時一定要多加留意。

這趟桃園行，楠香計畫雖沒實現，卻增長不少見識，對於香的製作有了更進一步的了解。

然而我對楠香計畫仍然有著夢想。不久之後，聽說我的朋友黃溪義先生申請了一個做香的專利，用的材料是昂貴的竹炭。我興致高昂的請他拿我的寶貝樹枝來做實驗，他勉為其難的答應了，我的楠香計畫終於開發成功。這款揉和了我的夢想的香，材料除了我家香楠木，另外加入惠安水沈、豆蔻、沙仁、丁香、紅花、天竺黃、竹炭粹取液，然後遵循古法，以天然樹汁黏液精製而成。

為了使用這款香氣清淡的楠香，我特別設計了以竹片做把手的香盤，讓它不只可以在家裡或佛堂點燃，也可以提著放到不同的角落使用。

我家香楠木，每逢春夏之間都有台灣藍鵲來樹頂築巢育子，演出幾齣動人的生命樂章，因而我把此香命名為「藍楠香方」。本著珍惜天地萬物，尊重生命自然法則的胸懷，我想與更多的朋友分享我與藍鵲及楠木的人間情緣。「藍楠香嫋嫋，既馨且逸遠」，聞著淡淡繚繞的「藍楠香方」，心中一片沉靜，我暫時忘卻了原本的「蟲蟲香計畫」。

生活札記

這就是我的屋頂菜園，每天照顧它們，
雙手接觸土壤，仔細聽著它們想說的話，
看著它們一天天的茁壯所帶來的喜悅，好比是心靈上的一種療程。
一分耕耘一分收穫的簡單道理，在這個園子裡處處得到印證，
也深深的植入到我內心的根部。

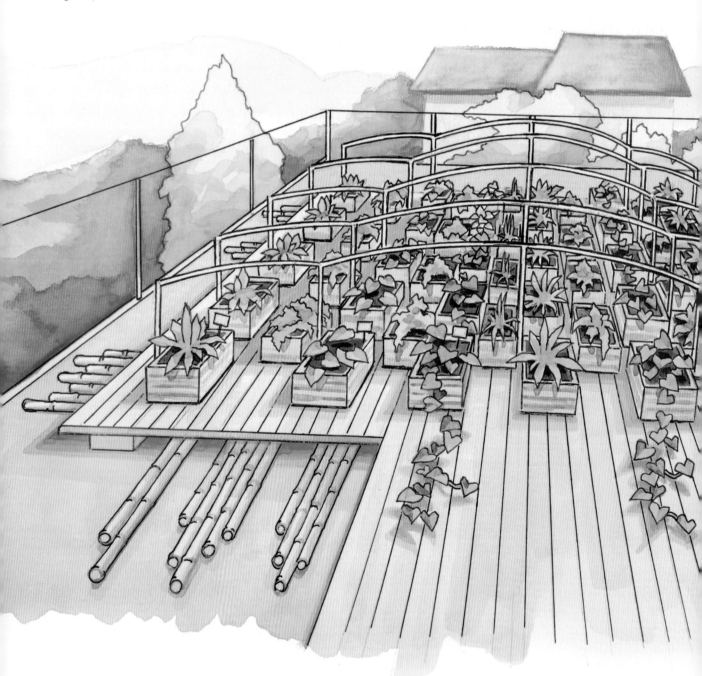

剛種下去都是

這樣軟趴趴的

幾天下來已經挺立了

不容易分辨是公還是母

蟲蟲開始出現了

自己的蔥比外面的香

爆破了!
這子快曬一下,
風乾就可明年用了

紫蘇不停的長

哥哥與弟弟

不同的茄子
像勞來與哈台

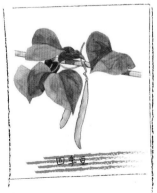

四季豆

剛種下去多是蕃茄與豆類

紫得好漂亮

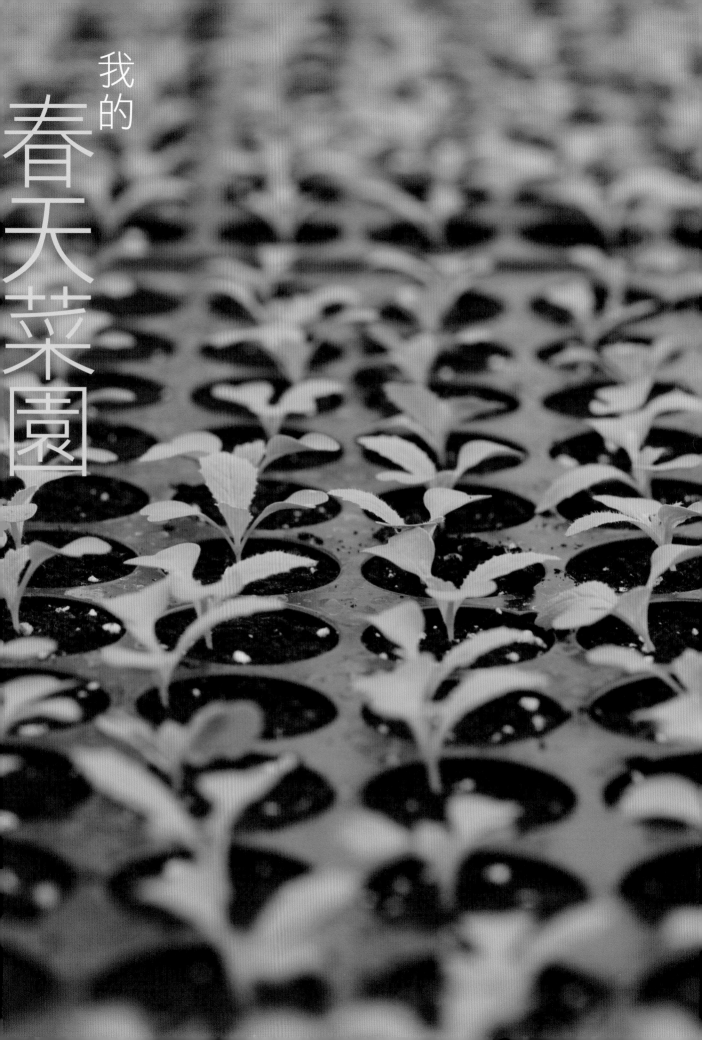

我的
春天菜園

可愛的!

可以控制的雨棚,基本上就是一個大雨傘

叔類剛種下就需要支柱

周整南瓜葉
　的成長路徑

廢物利用勉強成軍的空中花園

剛剛種下去很整齊

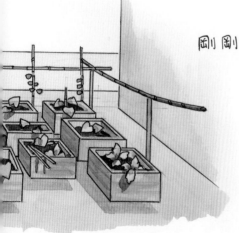

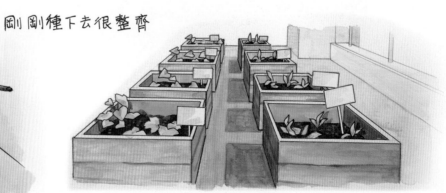

小苦瓜出死

買魚網來架到玻璃女兒牆上

希望酒箱子不要碰到炙熱的地面，
於是用竹子來墊高讓它通風

需

瓜籬底下

三月六日是我種植春天蔬菜的大日子，這期要種的菜可不少：越瓜（醃瓜）、苦瓜、菜瓜、白花菜瓜、澎湖絲瓜、南瓜、青椒、辣椒、蕃茄、空心菜、龍鬚菜、四季豆、莧菜、豇豆、蘆筍、明日葉、紫蘇、羅勒、黃秋葵、毛豆、雁菜、A菜、九層塔、小黃瓜、茄子、長菜豆、大蔥、蘿蔓萵苣、日本茼蒿、韭菜等。

前幾天就已將用過一季的土壤翻土，裝土的紅酒箱也清洗了一次，以虔敬的心情恭候種苗的到來。春天的瓜茄類需要很大的面積，除了原有的平台，更擴大到往屋頂的空間開展。但屋頂的日照太炎熱，必須搬些竹子墊在盆子下方，以防瓜類被燙傷。

這次的土壤分陽明山土搭配有機土。另外，我說服了一個進口土的廠商做為我的合作對象；他賣的是從沒有被開墾，而且抽掉水分的輕質土壤，而這次拿到的紅酒箱，不夠高，比較扁而寬，鑽孔後加上不織布，希望能透水又不流失土壤，要試試進口土壤是否真如廣告上說的一樣神奇。這也列為我春天種植的實驗項目之一。

準備就緒，像搭裝置藝術似的把場景佈置好，種苗從美珠的種苗場載來，立刻栽種下去。為了防蟲，美珠要我多種一些辣椒，所以在酒箱間放了好多圓型的紅色塑膠盆，破壞整齊有序的畫面。但做農夫的重任是必須除蟲，顧不得裝置藝術的美感，一切搞定，滿心期待的經營起我的春天菜園。

不久之後來了一場大雨，附近的鄰居有點驚慌的說報紙報導陽明山酸雨值很高，她家的小黃瓜都死了！我不禁為菜園裡的小生命擔心不已，想幫它們做個傘遮風擋雨。左問右問，都說沒人這樣做啦！一顆菜多少錢？買大傘一定比買小菜貴，而且市面上也沒人賣那麼大的傘啊！讓我幾乎死了心。沒多久又來了一場超大雷雨，我的寶貝們被雨水打得彎下了腰，想做大傘的念頭又在心裡復活了。大雷雨之後菜價必然上漲，想到我的土有廠商資助，苗是美珠送的，裝土的酒箱是免費的，如果真的換算成本，幾十倍的價差其實就是我的心血。每天看著它們的成長，那滿心的喜悅就是我的維他命、精力湯，我必須保護我的寶貝們，換取我的維他命才是！決定還是要給它們弄個傘來。

至於買傘，花錢是一回事，買不到則讓我非常不服氣。我在家裡翻箱倒櫃，找到些以前圍狗的座子，長長短短的棍子，就開始設計起我的菜園大傘。傘骨有了著落，又找到以前做室內設計時留下來的一大捆塑膠布，於是拿去車招牌的阿伯處，求爺爺告奶奶的請他幫我車成一大塊。阿伯邊車邊數落我的無知，罵我設計這種沒有人用過的東西。好不容易車好了，我又請他在四邊裝上穿繩的特別孔，可以綁在建築物或水桶上固定。就那樣狼狽的站了四小時，被阿伯罵得體無完膚，終於把那塊大男人才搬得動的塑膠布弄回家。

回到家，號召全家總動員，把塑膠布放上了傘架，正好又下起了雨，我好高興的在傘下跟苗兒們邀功。誰知骨料間距太大，塑膠布中間積滿了水，眼見水太重就要垮下來，我就爬到傘下，用頭去頂一個個積水的區域。隔壁鄰居打電話調侃我，問我為何要瘋狂的在大雨中忽高忽低的膜拜？是信那一種教？我則是累得兩眼冒金星！第二天只好打電話向金屬工程公司求救。經過兩個多星期，才把這個廢物利用的活動組合傘施做完成，發揮了該有的作用。

我們公司有位林顧問，也是我的種植顧問，我從他那裡學會很多知識。我們都堅持不灑農藥，唯一不同的是施肥的態度。他認為必須給植物吃雞糞拌些什麼，尿素更被他視為神聖武器。我則跟他說我想試試看不施肥會怎麼樣！

我的椒茄類長得非常成功，讓我大夠厚，剛開始生氣盎然，結果卻後繼無他們吃大餐。實驗總要堅持一陣子才看

又過了兩周，林顧問來看我的椒茄不夠壯。我想這大概就是有機種植的尊重與不要過量才是該堅持的眼界。如上，如果有蟲子，就用我的嬌椒牌麻辣灑，讓那些蟲子醉去吧！林顧問還教我吃小小的也無妨，反正那麼大一顆，嘴就是想貫徹我的有機態度。

受鼓舞。但種南瓜的酒箱太薄，土不力。當然我也沒有為了要多子多孫就餵得到結果的。

類，說它們雖然有一種素雅的感覺，但象。有機的心態並沒有要凡事第一名。果有剩下的優酪乳，我會倒一點到土壤煙燻法；還有幾次則用稀釋的米酒噴要常常修剪才能得到大的，我則想有時也塞不下，還不是要切小塊。總之，我

十天後林顧問再度來探察，滿臉凝重的跟我說，「真的不能再不給人家吃啦！妳的菜都軟嘍！它們餓壞嘍！」他又用他的名言：「妳不給它吃，它一定也不給妳吃！」被他這一說，我再仔細看看，真的是趴趴的，我好沒良心，讓人家餓成這樣！怎麼辦呢？為了拯救我的菜兒，就接他的建言，施肥吧！

顧問帶來了他覺得最好的肥料，很快的幫我餵給它們吃。哪知道，第二天我的蕃茄與豆類全枯萎下來，再過兩天就全死了！我除了心痛，還覺得很對不起它們，它們本來就是單純的，希求不高的，自然的，純有機的，我怎麼會沒大腦的，做一件與我堅守了幾個月的信念相違背的事呀！

這次的教訓，讓我更明白有機種植的精神是全力照顧，基礎土壤需要時間休息，養分是需要培養的，肥料給予堅持有機，要知道來源，儘可能自己利用廚餘回收製作，要明白蟲害是沒完沒了的戰爭，不要貪心，軟一點就軟一點，相貌一定輸給那些施化肥與殺蟲劑的蔬菜的。心態很重要，全然看你是想要在每一頓飯，都吃那最頂級的才覺得滿足？還是情願退到自然的法則線上，吃一些你與大地協議過的，只屬於這個季節的菜色？一個恰到好處的，不聒噪的，不貪心的女孩，何必要去跟一個一定要最好的、精明的、美容後的女孩子比呢？

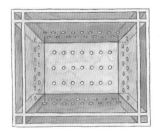

從上往下看

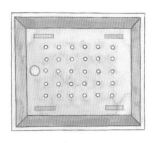

從下往上看

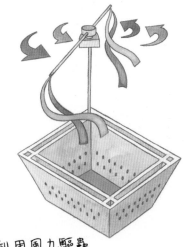

利用風力驅蟲

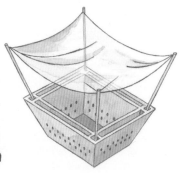

這個可以單一撐傘

循環灌溉系統

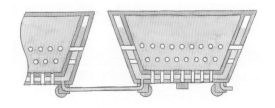

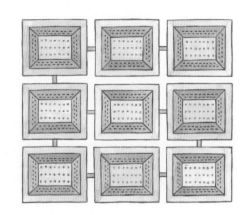

我的小兒子看著我種植幾個季節以後，
　結合我的經驗，設計了一個植栽盆,還去申請了個專利呢!
　我們異想天開的想著，
　　如果所有的大樓都能夠把管理費
　花在幾盆自己認養的蔬菜上，
　妥善利用太陽光照射得到的地方，
　那該有多好呀!看看我的收成,好滿足呀!
　這菜錢可能省不了多少，
　但是藉由這個親手種植的過程，
　無形中減少了坐在電視電腦前的時間，
　讓自己去跟大自然對話,認識四時，
　體會生命的過程,真是值得分享與推廣的

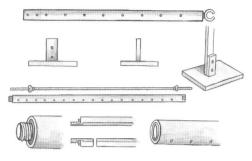

這些有洞的管子可以調節高矮

這是一個活動傘架,挺管用哩!

這是我們的發明

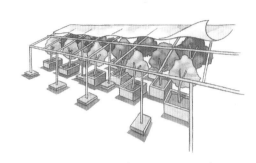

傾盆大雨來時,我們可神氣了

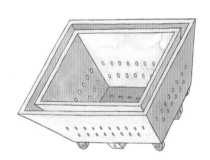

這個容器外面有一圈水保持溫度

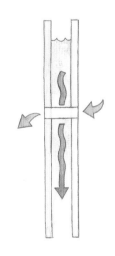

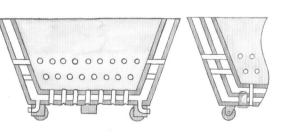

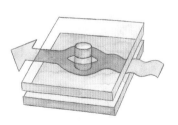

空氣可以到土壤去由側面的氣孔

沒幾天長高了就要立支柱了

多子多孫啦

茄子剛剛露一點

生澀的小果子

先針對這第一批的蟲蟲

展開煙燻大作戰

沒幾天更茂盛且開花了

另一種九層塔
要不停的採紫花

花謝了就結果子了

香草類一片豐收

我是這樣出來的

花開花謝再結果

好美的姿態

老人家說：

農曆二月的韭菜，質地最好吃，

韭菜含硫化物，不宜跟牛奶一起吃。

不建議孕婦多吃韭菜，尤其是韭菜炒豬肝。

遮斷光線，沒有葉綠素再長出來的韭菜，就是韭黃

入秋以後的韭菜抽苔，含苞的時剪下來，就是韭菜花

冷天的蔥比較香，宜蘭的白蔥最好吃，

被形容蔥白的部分像女人的手指一樣嫩白纖細。

小黃瓜煮熟比生吃好；蕃茄越紅越好，

但儘可能單獨生食，否則煮熟較好；

苦瓜本身含高鉀成分，最好煮湯喝，不需要再加鹽了；

莧菜是吃軟不吃硬的；

龍鬚菜以前是餵豬吃的，

買的時候要選鬍鬚直的，易折斷的，不能放，當天要吃完；

空心菜用中火炒，起鍋後淋點油以免變黑，

儘可能不要買溫泉種植的，吃完後不要喝牛奶。

我的
廚房

味 胃
道 道

年輕的時候，我自認為對吃是很隨和的人。直到生第一個孩子，坐月子期間請了一位宜蘭來的老婆婆在家幫忙，我母親家雖也每天送菜來，宜蘭婆婆還是堅持每天幫我做菜，她的每一個菜都用麻油，還用麻油幫嬰兒擦頭，我不好意思辜負她。但麻油的味道很重，把餐桌上我媽媽送來的菜全給蓋掉了，日日吃著聞著那單調且油膩的味道，我第一次感覺到有些東西是難以下嚥的。

孩子大了，暑假陪他們到美國上各種夏令營，一去就是六個星期。夏令營在東岸緬因州或賓州邊上，連我最痛恨的美國速食店都要開車兩小時才找得到，星巴克咖啡則需要四個小時才找得到。我住在當地那種專門為了夏令營父母在表演日那天或是接送日所設立的住家型早餐旅社。有一次還因為訂位太晚，沒有房間，屋主可憐我，最後讓我跟他三隻德國狼犬睡在同一間。我在沖澡的時候，狗兒還推開門見識一下從沒有見過的東方女人哩！

雖然旅社的早餐桌上有著美麗的蕾絲桌布，手工拼布的墊布，小碎花的口布，現採的藍莓，自己養的蜂蜜……，可是我的胃想家，想一份燒餅油條，想念清粥小菜，越想越厲害。那幾年的暑假煎熬，讓我不得不承認，雖然讀書時代也在美國住過幾年，以為自己的胃已經很西化了，其實啊，我的胃早就被生長的家給定調了。

投胎做個中國人，是前輩子修來的，我們有太多的恩寵，其一就是我們老祖宗留給我們的飲食文化。每次看到所謂新發明的中國菜，我都忍不住要想：新發明了什麼樣的味道呢？中國菜何其繁複多姿，學都學不完，哪還有發明的空間？

近年健康意識覺醒，所有食物都指向清淡，年紀越長，我越能體會其實「清淡」是一種最高境界的味道，尤其是有機新鮮的食物，其「清淡」有著一股能量的氣質，這是烹調不出來的味道。舉凡全世界的食物，凡是有味道的一定有它背後的故事與歷史，才能夠留傳下來。也因此大多有一個專屬的名字，比如我們上四川飯館，不用看菜單，對著侍者說「麻婆豆腐」，上義大利餐館要一份「瑪格莉特批薩」是一樣的道理。有文化的菜當然是一言以蔽之，哪裡還需要像那種好高級的餐廳呈現的菜單，需要密密麻麻冗長的文字敘述。而當我們說出那個菜名時，我們的胃已經準備著接受一種味覺的到位。可喜的是中國人的文化中有著這份融合各種味覺的資料庫。

中國地大物博，菜色繁多，如粗略的以地方來分，東部的江蘇浙江安徽菜

（醉雞、醬肉、扣三絲、糖醋排骨、燻魚、西湖醋魚、松鼠黃魚、醋溜魚捲、茄汁明蝦、蟹黃菜心、奶油白菜）；南部的福建廣東菜（蔥油雞、脆皮雞、芋泥鴨、生菜鴿鬆、咕咾肉、荔枝肉、掛爐叉燒、蠔油牛肉、茄汁魚片、酥炸生蠔、冬瓜盅）；西部的四川湖南貴州菜（棒棒雞、油淋子雞、宮保雞丁、樟茶鴨、回鍋肉、魚香茄子、粉蒸牛肉、乾煸四季豆、辣豆瓣魚、乾燒蝦仁、蝦仁鍋巴、麻婆豆腐、紹子烘蛋、糖醋白菜、四川泡菜、麻辣黃瓜）；北部的山西山東河北河南的北方菜（燻雞、香酥鴨、北京烤鴨、火爆腰花、羊羔、涮羊肉、蔥爆羊肉、炸蝦托、涼拌三絲）；台灣菜則有（菜脯蛋、筍干燒肉、花枝丸、烤烏魚子、生炒九孔、麻油雞、蛋黃肉、客家小炒），這些大多是我們到各類餐館知道要點的菜。南甜、北鹹、東酸、西辣則是這些區域的不同風味的特色，而台灣則囊括了所有的菜色與各地地道的味覺。

　　台灣在一九四九年前後有數百萬大陸各省的人到來，陸續發揚各地的飲食文化，因此各類菜館林立，什麼地方的菜色都吃得到。十六歲出國讀書之前還去著名的傅培梅烹飪班上課，同學大多和我一樣是要出國留學的，也有些是學了以後要去餐廳當廚師。她在那個年代教課，就已經採用階梯教室，我坐在上面往下看她做油淋子雞也看得清清楚楚。她的《傅培梅食譜》，留學生或新嫁娘幾乎都會帶一本當隨身寶，我那本至今還存著當個寶呢。傅培梅女士是我們那一代最重要的烹飪老師，我對於味覺的先入為主，大概都是從那裡開始的。

　　我的胃道，當然也來自我們家的上海菜，有一種女人的細緻與堅持，很多菜也有一種樸素的質感。我喜歡看我的小阿姨燒菜，她從採買開始就有她累積經驗的法則，例如她去傳統市場買菜，會向肉攤要了塊肉，跟老闆說：「給我看看，等下還你！」然後把肉帶到菜場外面的日光下，對著太陽看，看那肉的紋理，晚上我就會吃到入口即化的菜。她要發些如海參之類的大菜，就把海參泡在碗中，然後水龍頭只開一點點，整個晚上讓水一滴一滴的滴下去，水流答滴的活水，海參才不會遇熱硬掉。她堅持不用微波爐，甚至對什麼樣的鍋子放在幾孔火頭的爐子上也分得一清二楚。專門燒素的，就不要燒葷的，東西落鍋的順序，起鍋的順序等等，好像模子一樣定了型從不會改變。

　　我的胃道也來自我阿姨的手勢，她在需要用鹼的菜特別獨到，她的手優雅的讓腐皮過鹼水，手心手背在水裡漂過，小指還翹起來，恰到好處。她的刀工一流，切東西時兩手的力道均勻，看她切的菜，就沒辦法習慣別人的形狀了。她包粽子處理竹葉時，好像在折紙，細著心卻充滿信心的動作。

　　我阿姨對份量的控制，更是影響了我的胃道。一個菜就算做了一大鍋，她端上桌時好像算過幾個人幾口，恰到好處的一盤，讓所有人覺得每一筷挾起來都是需要珍惜的量。有時到別的地方吃飯，看到端上來的菜堆得像座小山，當場幾乎失去欲望，那時我就更了解小阿姨

六 227
生活札記

這是一張可以貼在冰箱上面的「民族味覺配比圖表」，有二十道味覺。此表一面介紹醃料，另外一面介紹綜合調味料，希望能減低初學者對燒菜的恐懼。

的用心。幾十年來，我們的胃被這種微妙的人性心理學控制著，每一次吃她的菜都口齒留香，意猶未盡，期待著下一次。

小阿姨非常講究衛生，所以我的胃道還來自她的潔淨，每一道菜都吃得安安心心。她最大的樂趣是整理冰箱，每一個方位都有條有理，分門別類存放著她的秘密武器。甚至是剩菜，她也珍惜而仔細的分類存放，絕不浪費。這種留著剩菜再利用的節儉美德，當然也影響著我的胃道。

但是小阿姨不願意教我做她的絕活，她說我學會了就不去看她了。她這一生最大的武器就是她的廚藝，所以有人問她怎麼燒的，她總是笑而不語。有一回我一個朋友吃了好吃，當場一路逼問，後來朋友一走，阿姨就數落她：「妳這個朋友怎麼這麼沒有禮貌呀！」我想別人就算照她說的方法學，燒的菜也一定跟她有出入的，因為她是那樣的全神貫注，中間經過許多的判斷，那是旁人學不來的。

小阿姨只會做上海菜，對其他的菜色沒有好感。後來我發現很多上海人是真的只喜歡自己的菜色，非常「排外」，出去吃別的菜色都會跟上海菜比。蔡康永也是上海人，他讀到一篇文章說，一個人如果很偏食，老了以後會失去味覺。他轉述給我聽後，我猛然發現是真的，因為我阿姨現在燒菜常常說她嚐不出味道來。

現代社會交流頻繁，我們的胃得以廣泛的接受不同的味道。我的孩子們的胃，也遊走於不同的地域，也許因為太廣過泛，他們的胃已快被速食時代馴養，漸漸失去了流傳的美好味覺。他們說，美國連鎖的快速熊貓店(Panda Express)也算中國菜，殊不知吃慣了加味精的食物，味蕾就無法品嚐別的食物的自然美味。

胃道是一個人飲食記憶的點滴積累，我並不要孩子們只擁有中國的胃道，但眼見著一些速食炸雞店不斷開張，有多少雞是靠著荷爾蒙與抗生素才能持續高效率的供應？麥當勞將以一年五百家的速度進駐中國，取巧的高溫油炸與合成食物，又將馴服多少孩子們的胃？甚至繁忙的家長也可能抵不過速食店所帶來的便捷誘惑！而時興的大型販賣場，銷售的是各式巨大包裝，同時含有可重複高溫油炸、不易敗壞的「氫化」植物油副產品。此外，人造奶油可讓洋芋片、蘇打餅、麵包等點心食物變得爽脆可口且有好看的賣相，為了讓食物有強烈口味的鹽與油脂……。這些，那些，堆積到身體都會產生各類過敏或更嚴重的慢性病現象，難怪連醫生都感慨現在大家生的病都沒有創意了！

殊不知當味道定型了，胃道就習慣了，家長們真是需要三思呀！溫暖的家，必須是要能散發一種健康的、獨特傳承的，讓孩子的記憶流連不去的味道呀！

基本
味覺

1. 紅燒

　　紅燒最重要的原料是醬油，配料則有酒、蔥、薑，以及八角、花椒、鹽、麻油、糖；若要久煮就用冰糖。紅燒牛肉麵則一定要加辣豆瓣醬。

　　台灣的紅燒豬腳會加桂皮；牛肉、牛腩或牛尾則除桂皮外看情形再入丁香、荳蔻、甘草。紅燒海參或魚翅則要加入等同於醬油份量的豬油、雞油，也會加入太白粉和麵粉。而紅燒黃魚、草魚、青魚(用魚身中段)或下巴、划水，則會由鍋邊淋點醋，因為不是要醋的酸，只要醋的香。此外還可見到紅燒八寶鴨、紅燒雞、紅燒獅子頭、紅燒豆腐、麵筋。

　　我們家有一道簡單的家常菜，就是豬肉加白煮蛋一起紅燒。我阿姨那有名的紅燒蹄膀就不那麼簡單，要先經過汆燙與油炸，用的醬油她嫌這家太鹹，那家太淡，這家不香，總要把各品牌酌予混合，調到她記憶中認為對的味道，然後加上花雕酒與冰糖，用文火慢慢的燒。上桌時搭上點青江菜，紅綠對比，鮮豔奪目，看起來豐腴誘人，吃起來卻不覺得油膩。問她訣竅，她說：就是醬油、酒、冰糖呀！沒有別的配料，呈現得如此自信而大度，讓人真是慚愧！紅燒誰都會，要燒出她那樣的境界，不知在火候上還得琢磨多久呢！

2. 糖醋、咕咾與甜酸

　　我媽媽教過我一道急就章的糖醋排骨，變成我的萬靈丹。她說，只要記住5水4糖3醋2醬油1酒，跟著排骨往鍋子裡一放，煮開後轉小火二十分鐘就是一道像樣的好菜。孩子小的時候，忙到吃飯的時候，我常常變出這道萬靈丹。

　　甜酸肉是在外國的中國餐館的招牌菜。我本來以為這道菜沒有原籍的問題，反正糖多少，醋就多少，醋與醬油都選用淺色的，再加上酒、鹽、麻油及蕃茄醬，最後用太白粉勾芡，合為綜合調味料，然後另起油鍋將鳳梨、青椒炒熟，加入綜合調味料，用鏟子快炒，但要注意鍋子裡的水分和濃度，免得焦了又黏鍋。如果主料是排骨，則需先把排骨裹粉炸好備用。待綜合調味料的黏度炒到剛好即關火，把炸好的肉塊放入燴一下即可起鍋。如果是甜酸魚，則可以把炸好的魚鋪在盤子上，把綜合調味料澆上去，但醬料很濃，如果吃得太慢，魚肉可能軟掉。

　　有次在香港有名的老店蛇王芬，我特別點了菠蘿咕咾肉，店家問我要不要生炒骨？我也不知是甚麼，相信人家一定有甚麼學問的，就說要！果不其然，端上來的盤子裡沒有像國外餐館那麼多濃汁，肥瘦均勻的肉塊是用栗粉雞蛋紹興酒與生抽醃過，裹粉後炸得鬆軟適度，每一塊肉都只裹上定量的調味料！至於那生骨，就是

吸這咕咾與骨髓的味道！真是絕配，讓人驚豔！

　　後來得知他們的做法，肉塊第一次只炸八分熟，撈起來去掉渣子，另起油鍋再炸一回，這樣表層與裡層才會均勻，之後再用吸油紙分多次吸去油脂，才不至軟掉。他們的綜合配料也比較講究：浙江白醋、茄汁、黃糖、雞湯、生粉、鹽、老抽、山楂粉、啤梨果醬。

　　咕咾肉除了酸與甜還要講究鹹，三味要平均共存。醃肉則不可以加糖，糖會搶火，讓肉炸得太濃……。我這才明白，咕咾的原籍大概在廣東吧！

　　女兒問我外國的甜酸肉跟咕咾肉有甚麼不同？當然是有些不同的。咕咾肉口感好，氣味香，顏色漂亮，可以當成一道秀氣的菜餚，有它講究的學問！甜酸肉比較粗，就是酸跟甜，利用酸甜讓你開胃好下飯，吃完後糖味黐在喉頭上，還得喝加冰的可樂去解味精的不適呢！在國外住久了，千萬別把它跟歷史悠久的中國菜混淆了！

3. 宮保

　　「宮保」的由來為清朝四川總督名為丁寶楨，平息過捻亂，清朝自雍正開始，不公開立太子，對有功的大臣加以「少保」銜以示朝廷的「恩寵」，所以他有「太子少保」的頭銜，也有「丁宮保」的名稱。這位美食家，喜愛吃炒雞丁，每次他回鄉省親時，就吃得到特別為他烹飪的雞丁，這就是宮保雞丁的由來。

　　綜合調味料是深色的醬油，少許的醋、酒、鹽、麻油，糖可多一點，再調入濕的太白粉。在油鍋爆香花椒，待快變成黑色就撈出來，加入乾辣椒段、薑末，再入主材料與花生即可熄火。

主材料若是雞丁，則可用蛋清裹後用油泡熟；也可以是蝦球、魷魚捲。仁喜吃素，我就選用百合，搭配花生，變成一道很別緻的宮保百合。

4. 麻辣

綜合調味料是辣豆瓣醬、醬油、醋、酒、糖、鹽、花椒粉、麻油。蔥薑爆香後加入已經熟了的主料，再加入調味料即成。譬如麻辣雞。

若主菜為涼拌類型，綜合調味料則改為辣油、醬油、醋、糖、鹽、花椒粉、麻油。譬如麻辣腰花。麻辣豆魚是把燙開過，去頭尾的綠豆芽擠乾水分，與煮熟的豆干絲一起捲入豆腐衣，入鍋煎一下，最後淋上綜合調味料，不一樣的是還要加上芝麻醬與炒熟的芝麻。

最近流行的麻辣鍋底，則需要丁香、荳蔻、甘草、桂皮等再加上草果，放入棉布滷包中備用。先起鍋把八角與花椒炒香後，加到另外一個鍋內跟薑末蒜末與少許胡椒一起爆香，再入各式辣椒粉、豆瓣醬，高湯，與滷包以文火煮約三小時即成。可當成火鍋鍋底。

5. 魚香

魚香肉絲的肉絲要先用醬油與太白粉醃過，過油後備用；荸薺與黑木耳也都切絲；綜合調味料是醬油、酒、糖、鹽、辣豆瓣醬、醋、麻油，再加上濕的太白粉。先爆香薑蒜，放入荸薺、木耳與過油的肉絲，再把綜合調味料淋入，灑上蔥花。有名的還有魚香茄子。此外魚香烘蛋需要較多的蛋，與濕太白粉與鹽打勻，打到起泡，倒入熱油後轉小火，用烘的把蛋烘到半熟，要翻面以前先把鍋中的油倒掉，使其稍微凝固即可，最後把有魚香味的菜色澆到烘蛋上面。

6. 滷

最簡單的滷味包只有花椒和八角，最複雜的則多達二十樣，其作用多為去腥與提香。通常說的五香，是指丁香、茴香、肉桂、桂皮、甘草；此外，山奈、草果、沙薑、香茅等，則較有異地濃烈的氣味。

做滷味之前要先把蔥薑蒜爆香或加入些紅蔥頭備用，再把砂糖加上約1/2的水以小火煮約五分鐘後，再加些水轉大火直到糖有黏性，這個動作稱為炒糖色，主要是讓滷味的顏色看起來漂亮有彩度。爆香的料加入高湯，醬油，冰糖、酒或豆瓣醬、沙茶醬後，即可放入要滷的菜色，如素雞、海帶、豆干、豬腳、牛腱、滷蛋、雞腳、鴨舌、鴨翅等，最後放入滷味包，約三四個小時就可入味。近年也流行在滷鍋裡加水果，如蘋果、柳丁、甘蔗等；水果的香氣也可以為滷味加分。很多人家也會先把肉類滷好，再把湯汁用來滷其它的料。

7. 油爆

　　油爆的菜色多半是海鮮類，如油爆蝦、扇貝、雙片（海螺片與雞肫片）、桂花蚌等，以醬油、酒、糖調味，在鍋子裡晃不到一分半鐘就好。講究些的，總還要先炸一回瀝乾油分，再加些爆香的蔥薑蒜後再回鍋爆炒。蝦的種類很多，沙蝦、河蝦的殼比較軟，常用來油爆，吃時鮮香酥脆，不用吐殼。不過一般家庭的瓦斯爐比不上餐廳的猛火，不是家家燒得出酥脆的油爆蝦。

8. 醬爆

　　醬爆青蟹和醬爆雞丁都是名菜。這個醬指的是甜麵醬。蟹用蔥段薑片紹興酒醃半小時，沾些麵粉。雞丁則用蛋白、太白粉、鹽等醃製。需要較多的油燒到八分熱，加入螃蟹炸至變色即拿起來瀝乾；雞丁也是用油炒熟後瀝乾油分。

　　再起油鍋加正常量的油，放入蔥薑末，再加上甜麵醬、蕃茄醬、水、酒、醬油、糖等，再將螃蟹加入拌炒即可；也可加入毛豆同炒。雞丁則用甜麵醬加點糖麻油拌炒。

9. 蔥爆

　　蔥爆鯽魚是冷菜，只有上海人用這一個爆字，一般市面上都寫成「蔥烤」二字，所以會誤導，因為雖有個烤字，其實並未放入烤箱，而是要在火候上下功夫。蔥的份量要多，不需切段，整條入八分熱的油略炸一下，變色就撈起來。鯽魚入鍋油炸，炸兩次讓肉與骨都香脆後撈出，去掉油脂，置入裝了醬油、冰糖、白醋的碗中醃浸三四小時，其間要常常翻面，讓作料均勻浸入魚身。另以一鍋鋪一層已炸過的蔥段，放入醃好的魚，表面再鋪蔥段，最後把醃浸的汁淋上，加水超過表面，大火煮開後改以小火悶煮，待收乾水分即可裝盤，涼了再吃，蔥跟魚肉魚骨都一樣酥軟好吃。

　　蔥爆排骨則是吃熱的，先爆香青蔥讓排骨去腥，另起油鍋放入洋蔥與紅蔥頭，再加上醬油、酒、水，把排骨放入，視大小總要兩三個小時，要注意水分的維持，最後才收乾水分，起鍋前二十分鐘才入冰糖即可。

　　不是「蔥」爆則還有爆芥菜、酸菜爆筍，基本上都有把悶煮略收乾水分的意思。

10. 沙茶快炒

　　沙茶醬味道香濃，配雞牛豬肉炒都好，但配花枝、蚌類那種表皮光滑的食材最好。偉大的沙茶醬，成分很複雜，是用油炸過的扁魚與赤尾青磨成粉末，再與油炸過的花生米末、蝦米末、蒜泥、辣椒粉、蔥干、五香粉、沙薑粉、芫荽粉等，用黃豆油煸炒起香，加上白糖與

鹽，以小火炒到不起泡時，熄火冷卻而成。

　　譬如炒沙茶桂花蚌，蚌需先用油炒過撈起。再起油鍋配以嫩芹菜炒沙茶醬，再入炒過的桂花蚌，加些醬油與蠔油，立刻起鍋上桌。那香得有點嗆鼻的沙茶味隨著熱煙在空氣中擴散，會讓正在高談闊論的客人頓時安靜下來。

11. 椒鹽、鹽酥

　　胡椒跟鹽是很好的搭檔，用它們的時候，通常不會再用醬油之類的調味，顏色因而比較清爽。我們家有個下酒好菜，叫手撕雞。乾鍋先炒鹽，變色時加入花椒同炒二十秒，然後趁熱抹到雞腿上，持續按摩十分鐘，即放入電鍋蒸，熟透後撕掉皮，把肉撕成小塊，吃起來既濃香又清爽。可以醃一些放在冷凍庫備用。

　　椒鹽鮮魷是鹽酥裡很成功的一道菜，鮮魷切花，讓前面大後面小，投入豆瓣醬跟七味粉混合（日本人稱為七味唐辛子，七種不同顏色的調配料調成，以辣椒粉為主）的碗內，沾勻後，沾一點黃豆粉，先以五分熱的油去炸，顏色變黃就拿起來放在紙上把油吸乾，再另起油鍋，待油滾熱後，再丟下去五秒鐘，再拿起來用吸油紙吸油，灑一點椒鹽在上面，這是最講究的椒鹽吃法。我曾試過白果跟椒鹽搭配，也是一絕。

　　同樣是鹽與胡椒，做鹽酥雞時則需用高溫油炸，加九層塔爆香，再灑上胡椒鹽，蒜末酸菜等。味道濃烈不可抗拒，自家做得一定比市面上那些重複使用炸油的鹽酥雞健康好吃多了。

12. 三杯

　　是指相同份量的醬油、烏麻油、酒三味所衍生出來的特殊口味，餐館都用特製的鐵鍋，炒完直接端上桌，是很親切的台灣小炒，最常見的有三杯雞、三杯小卷。

　　這菜需用多一點的老薑片，先以烏麻油炒香，再放蒜頭、辣椒，與雞塊合炒。調味料除了上述的烏麻油、酒、醬油，還要加少許冰糖、砂糖、麥芽糖，以及醬油膏、豆瓣醬、烏醋等；最後加上九層塔，鍋蓋悶一下，端上桌自然濃郁撲鼻，有一種誘人食指大動的香味。

13. 煙燻

　　用舊的炒鍋最好不要丟，可以拿來做煙燻鯧魚。

魚用蔥薑鹽酒醃一下，要兩面翻。盤底放竹筷子，魚置其上入鍋，蒸約快熟，熄火待涼備用。在舊炒鍋中放白米、黃糖、紅茶葉等，把均勻刷上炒菜油的鐵網放上去，再把魚放置網上，蓋上鍋蓋，邊緣鋪上厚一點的濕毛巾。爐子上的火要小，使鍋內慢慢升溫，產生煙燻的效果。但也需要適時打開鍋蓋，把魚翻一下，使其兩面顏色均勻。待魚皮呈現茶黃色時，一盤乾香的燻魚就可上桌了。

14. 拔絲

這是一道甜點的做法，可用蘋果、香蕉、地瓜、山藥等。材料都需先切成一塊一口的大小，雞蛋打勻放入麵粉與水攪拌成糊，讓每一塊材料的表面都沾勻，入八分熱的油鍋炸至金黃色，撈出來把油瀝掉。

另外準備一鍋，水中多放一些糖，以大火煮成熱稠的糖漿，將去油的蘋果等材料沾上糖漿，再沾點白芝麻，用筷子夾入冷開水中，過一下立即拿起來，糖漿由熱急速變冷，就會產生一絲一絲透明的糖絲。

15. 鬆

雞鬆或鴿鬆端上桌，因為要動手用餅或生菜包著吃，餐桌上的氣氛會變得活潑起來。墊底的乾米粉要用高溫的油炸，翻面炸至金黃即撈出瀝乾油分，壓碎放在盤子裡。雞肉或鴿肉（也有人用豬肉、雞肝）都需先用太白粉加點水混合醃一下，切的越細越好；煎好的蛋皮切小塊，與切成細丁的香菇、筍、青豆仁一起燴炒，淋上高湯、醬油、麻油、胡椒粉等調味料，起鍋前加上韭黃，即可鋪在墊底壓碎的米粉上。用薄餅或生菜包著吃，方式有點像外國的墨西哥餅，但內容比較豐富也較多變化，口感也清爽多了。

16. 八寶

廣東話八與發同音，數字有八最發，吃的料理就有八寶雞、八寶鴨、八寶粥、八寶飯……。八寶之中，只有糯米是相同的一寶，其他的寶，上海人喜歡香菇、肉、干貝、火腿、蓮子、蝦仁、鴨胗；台灣人喜歡筍丁、青豆、紅蘿蔔；廣東人還喜歡加上臘肉。

糯米要先爆香，跟配料調好後塞入雞鴨的肚子，隔水蒸熟。還有一種是雞鴨先炸過再蒸，也有先

蒸再炸的，名字就會在八寶前面加上香酥二字，如香酥八寶鴨就是一道大菜。八寶醬就不一定是八樣，家裡有什麼都切成丁，跟豆瓣醬炒在一起即成。冰箱隨時有這一鍋，半夜肚子餓了下碗麵拌一拌，簡單實用又溫馨滿足。

17. 乾煸

乾煸四季豆看起來皺巴巴的，從小家裡冰箱常有這道菜，因為它可以放比較久。四季豆要先用油炸軟，把油逼掉，繼續以小火乾煎，讓它縮至焦黃起皺的樣子。另外起鍋把碎肉末與切得極碎的榨菜拌炒，加鹽糖與一點點水，再放入炸軟的四季豆，繼續煸炒到完全收乾水分。

有時候在餐廳看到的乾煸四季豆是油亮亮的，那好像就不是乾煸的本意了。

18. 醋溜、糟溜

醋溜，顧名思義就是以醋做主要作料，以醋溜魚片最有名。油熱到三分就把草魚片放入鍋底慢慢煎熟。然後起鍋爆薑末，入鎮江醋，配上醬油、糖、酒，勾芡倒在已煎熟的草魚片上即成。另有一說是不放糖，改放可口可樂，那是所謂創新的嘗試。

另外還有醋溜白菜、藕片或馬鈴薯絲，也都是很爽口開胃的。

糟溜是北方菜，要有好的香糟酒。但最好的香糟酒出自南方的紹興，係由小麥與糯米加工混合，再加上桂花與黃酒浸泡而成；若酒用花雕或女兒紅，做出的香糟風味更是不凡。

19. 清蒸、清燉

我有個香港朋友安妮，每次到餐廳硬要用她的廣東國語點菜，把「給我一條蒸魚」說成「給我一隻鯨魚」；「一碗白飯」說成「一元伯合」。但她自己做的「鯨魚」，可真是好吃！我向她學的。

魚的厚度決定蒸的時間。魚放在長盤內，上面鋪些拍過的蔥段與薑片與酒，待鍋裡的水滾即放入鍋中架子上，蒸約八分半熟即取出，把盤裡的蔥薑與湯汁倒掉，再鋪上大量切碎的蔥與香菜，先以熱油淋過，最後淋上調好的醬油跟糖的混合液。安妮用的醬油是生抽，我用的則是龜甲萬。

如果是清燉牛腩，可以整條跟牛骨一起，放到用金華火腿老母雞等熬煮出來的高湯內，此高湯去除原料與油渣後，再跟骨頭大火熬煮，第二次得出的湯稱為「二湯」，此二湯已得先天之優勢，再經過火候的伺候，煮上大半天的，吃以前灑上切得最細的薑絲，整鍋湯都可

以喝得不剩，堪稱人間美味。美食家王宣一那獨到的牛肉，功夫更細緻，是以「逐漸」的過程分三天讓牛肉燉到軟爛。那份用心令人感動，吃到嘴裡更是從牙到胃都是驚艷。

20. 粉蒸

蒸肉粉是用米與乾辣椒、花椒等乾炒直到米變成黃色，水分都蒸發以後，用磨豆機或是果汁機磨碎，再調些五香粉即成。豬肉加入三分的油，兩分的水，酒釀、醬油、糖、麻油、辣豆瓣醬，再配上蔥末薑末與花椒粉醃製，蒸籠放上一個盤子，把地瓜或南瓜切片鋪底，醃好的肉沾勻蒸肉粉排整齊，大火蒸約三十分鐘即可。也可以試試粉蒸肥腸、魚塊、芋頭。

21.避風塘

這是港式近三十年來的菜式，那時候的銅鑼灣避風塘，有來自菲律賓、馬來西亞或是泰國的漁船停泊，這些漁民們，在食物文化上的相互影響，因而造就了辛香辣濃郁，料理帶殼的螃蟹或蝦的獨特口味。其口感重，香溢四處，遠近馳名。螃蟹或蝦拍段沾上麵粉或太白粉，起油鍋，中大火快炸炒到外殼酥脆起鍋，利用一部分炸過的油，小火炒磨過的新鮮大蒜（量多）與紅辣椒、乾辣椒段、蔥白、薑片等，小心控制火候，以免大蒜變焦苦，有些人此時會放入麵包屑拌炒，待其香酥乾爽後，將蝦或蟹放回中大火同炒，並入白胡椒粉、糖、鹽、或是港人愛用的雞粉，還有很少的醬油與酒提味，切忌潮濕，乾爽裝盤。

22.水煮

水煮魚或水煮牛正統是川菜，上菜時沒看到水，倒是看到一層油。所以這道菜的本領在油要香，這油可與乾辣椒、山奈、花椒、八角、香菜等川式常用的香料小火伺候加熱，待起香變色時，撈掉這些香料，就是自己獨特的武器了。以一部分的香油與剁碎的辣豆瓣炒香，見顏色變了，再入乾的辣椒段、大蒜末、薑片，最後放花椒，不能讓花椒變黑，以免有苦味。可入魚骨，再加酒、醬油、糖、椒粉與胡椒粉，再一起拌炒後，入高湯再煮，此時再下草魚片或是鯰魚片或是牛肉片，汆燙一下即可。把這些倒入另外準備已經鋪上黃豆芽或是青菜的深盤。

另起鍋再入香油，要衡量此油量是否可以蓋過深盤，加熱，再入乾辣椒，最後再上點花椒，待辣椒快變色，花椒沒有變苦前，即可把此熱油澆淋到深盤中即成。

如果魚片改成牛肉片，則肉片要稍厚些，與料酒、醬油、澱粉醃製一下。也可把花椒撒鋪在肉上，以擀麵棍將花椒壓碎入味。

春

蝴蝶宴

　　我們七八個女性朋友共組一個讀書會,每一季輪流做主人,決定要讀的書,見面的場地,吃喝的餐點。今年春天輪到我做主人。我選了前法國Elle雜誌主編Jean-Dominique Bauby的回憶錄《潛水鐘與蝴蝶》。這本書是他四十四歲腦中風全身癱瘓後,用僅有知覺的一隻眼睛,由他的朋友替他點字寫成的,完成的第二天他就去世了。

　　薄薄的一本書,說著那禁錮於病床的癱瘓肉身裡,一直藏著自由的靈魂,像蝴蝶一般在天空飛舞。書已出版十多年,那靈魂一直感動著我,蝴蝶飛翔的畫面也不時出現在眼前。加上氣象預測,我們見面的那天中午是好天氣,適合辦戶外餐會,「蝴蝶宴」的構想於是成形了!

　　我張羅了三十幾隻蝴蝶來,分裝到每一個客人的餐盤中,用網子罩住。這道菜端上桌時,所有的朋友都驚聲尖叫,歡呼不已。我向她們解說作者被禁錮的靈魂卻像蝴蝶永遠自在飛翔後,請她們同時掀開網罩,讓蝴蝶回到天空飛翔。三十隻羽翼斑斕的蝴蝶,陸續飛出網罩,在我們周邊翩翩飛舞,然後落入附近的花樹間,那是我一直想跟她們分享的情境。我準備的餐點是玉米茄瓜濃湯,庭園沙拉與三明治、小漢堡等。快樂的餐會不止於口舌之間的食物,視覺的享受也一樣的重要。如果能有一個主題,繞著主題來發揮,更能讓人留下難忘的回憶。

清水鎮與　蝴蝶
Le capharnaüm et le papillon

本次聚餐的壓軸戲為最後一道上的菜，我準備了一個人一盤活蹦亂跳
的蝴蝶，大夥倒數計時，一起放飛。與會者無不驚艷！

養身

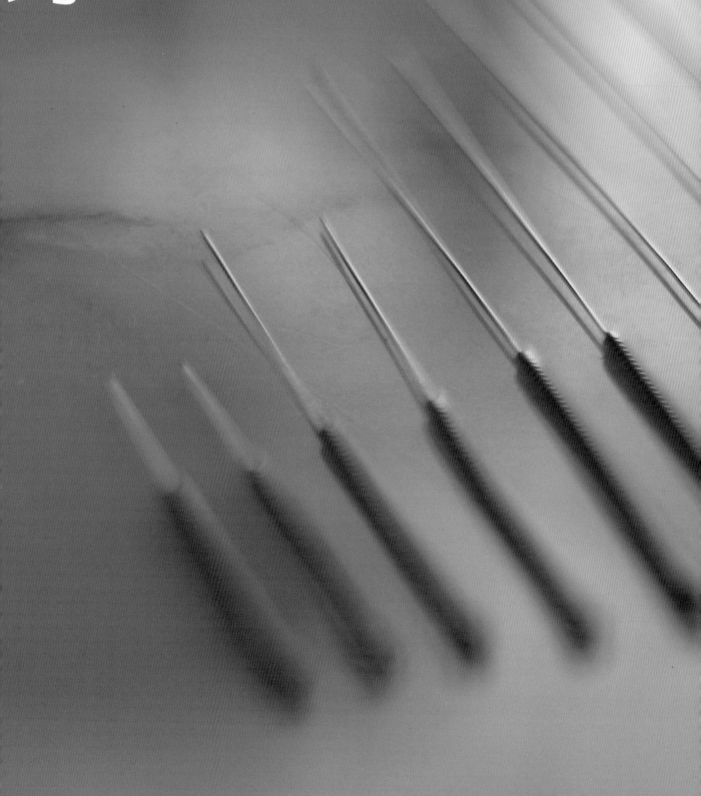

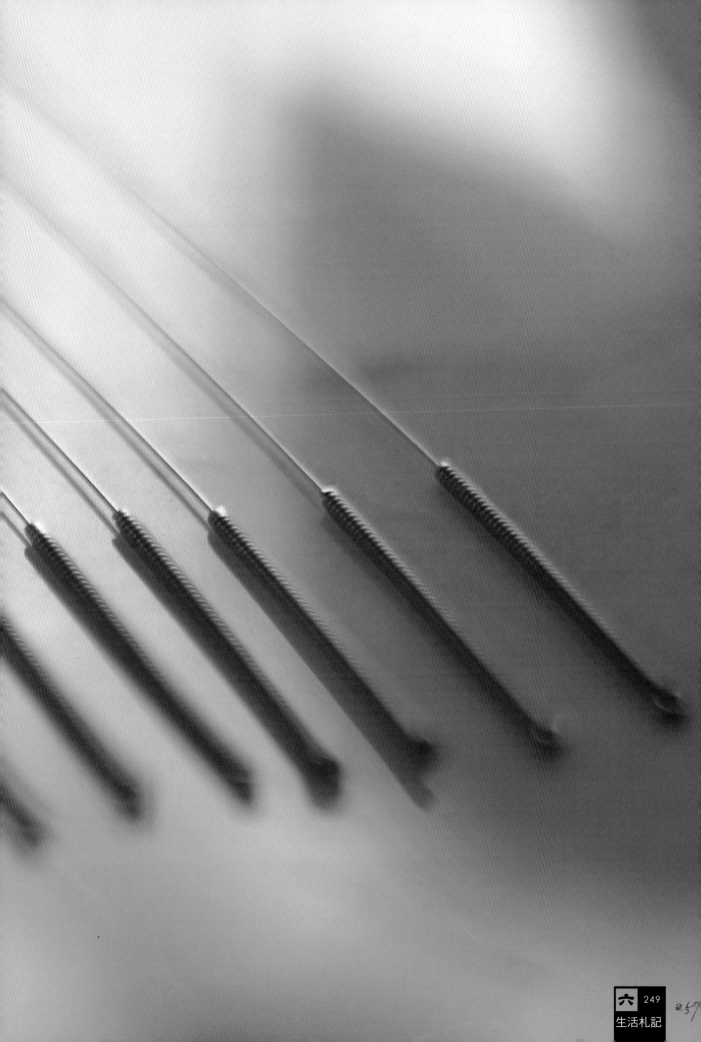

拍痧與刮痧具有「急則治其標」的原理，比如感冒、發燒、中暑、頭痛、肌肉僵硬痠痛等等。古老的辦法是在一個窗戶緊閉的房間，脱掉上衣，在背部用牛角製的刮痧板刮痧，由頸椎雙側到雙肩，再轉到脊椎兩側，通常會看到暗紅色與鮮紅色的痧透過皮膚表面冒出來。之後擦乾身體，喝杯生薑紅糖茶，出身汗，當下就覺得身體輕鬆許多。經常旅行的我，近年很怕長途飛行，因為身體固定在位置上，久了雙腿會痛。有次上飛機前，我先用拍痧棒拍打大腿，幾分鐘後痧都出來了，坐飛機才不會腿痛。

√　　刮痧後暫時不要洗澡，在痧沒有退去前，不要反覆再刮。而且切記刮痧時不能過重，不要刮到「皮破血流」。坊間有些店，替人刮痧過重，造成筋膜發炎，血壓飆高中風，甚至破皮引發蜂窩組織炎，微血管纖維化等，不可不小心。

　　拔罐是利用負壓吸附的原理，將肌肉層累積的酸性物質往表層釋放，以達到刺激血液循環的作用。對於落枕、電腦手臂之類的毛病，拔罐是非常有效的療法。

　　我曾經因為五十肩痛苦不堪，手根本抬不起來，結果靠著治療師幫我放血而得到立刻的舒緩，讓我不得不佩服中醫的經驗傳承。放血之前，必須先把要放血的區塊附近肌肉予以搓揉紓緩，消毒後，用針均勻刺在這一個部位，再用拔罐的杯子去吸住，通常會從刺針的孔位吸出非常黏稠的血液，那些黏稠的血液，就是造成我們不舒服的原因。不過放血後要注意傷口保養，以免細菌感染。

　　穴道與經絡，是我們所熟悉的中國醫學名詞。我們的老祖宗，為了對應不同的症狀，發
√　現身體的穴道有三百六十五個之多。至於經絡，它們的作用是負責聯繫身體各器官與組織之間的氣血運行。氣血是生命最重要的能源，不同的經脈與絡脈，都有一定的循環路線，人體一旦生病就會影響氣血運行，針灸醫學的基本原理，就是利用長短不一的細針，分別扎進不同的穴位，經由刺激的作用發揮對應治療，使氣血能夠恢復運行。西方人對於看不到的氣，沒有辦法做出定論。中國醫學卻靠著幾千年來可貴的經驗傳承下來，在每一個不同的人身上，結合此人不同的自然外在條件及內在機能，統合的做出整體的治療。

　　針灸可說是我們最著名的古老醫術，針刺進的剎那會有酸的感覺，但不會痛，也不會出血，許多人看了往往大感神奇。但也有人誤以為扎針很痛，抱著恐懼與排斥的心理，其實一旦能夠克服，針灸確實是很有效的療法。

　　源自老祖宗的傳統療法其實還有很多獨到的派別，有一派則是絕對不碰痛點，從痛點對稱的位置或是源頭的位置開始鬆解，鬆解的手法則讓病患感覺到有氣、熱、電或是類似會竄的小針直入筋骨血脈，待全身通暢後，才針對痛點做處理。

　　鞋子的選擇影響深遠，很不鼓勵女孩子們模仿雜誌上那些踩著高蹺的模特兒們，因為上

　　中醫有一句話：「不通則痛」，真是至理名言。在日常生活中，許多人確實因氣血不通，出現各類型筋骨痠痛，需要尋求治療。西醫的療法通常是開止痛藥，但那只能治標，而且會傷胃傷肝與腎，所以一般人遇有身體痠痛，還是習慣尋求傳統療法。

　　筋骨痠痛的原因，除了車禍、跌倒、職業災害等等意外受傷留下的後遺症之外，多係長年累月的輕忽所造成，「冰凍三尺非一日之寒」。我自己的痠痛遠因是年輕時不知道保養，超過體能的負荷量、開長途的車、長時間穿不合腳的鞋子和高跟鞋、拎太重的東西、搬東西時用力不慎等；近因則是缺少運動、電腦桌前坐太久、姿勢不正等。種種自己種下的因，都於近五十歲時開始一一來向身體反擊。

　　現代的年輕人，也常出現各類痠痛問題，原因包括運動過量導致的筋骨、肌肉傷害，或在冷氣房過久，身體沒有適度排汗；或嗜吃喝冷飲，影響血液循環，以致體內寒氣濕氣過多等等。一般人也忽略肩頸裸露在外，容易受涼而產生僵硬，供血不足，日久就會產生頸椎痠痛。還有一種現代人的通病，用腦過度而又身體勞動不足，各類型壓力沒有適時紓解，使身體一直處於備戰狀態，日久就出現大腦與身體失衡，好像永遠處在疲憊不適的狀態，嚴重的會情緒低落，性情丕變，誤以為是心理問題，吃了許多冤枉藥。

　　超越自己是很好的態度，但不適用在運動上。長一輩的都會勸年輕一代運動要適量，不要過度。就算是瑜伽等軟性運動，都很可能會傷到筋骨的，所以中庸與適度是運動需要建立的心態。

　　對於怎樣與我們的身體和平相處，我自己的經驗是要懂得日常保養，學習放鬆，尤其需要時常做些柔軟運動，促進排汗與血液循環。目前流行的柔軟運動，如氣功、太極拳、太極導引、瑜伽等，都兼顧放鬆吐納，能導引內在的氣血循環至全身肌肉，對紓解身體非常有益。中醫的理論為肝主筋、腎主骨，對於筋骨會痠痛的原因來自：跌打損傷、積累勞損、肝腎虧虛等，這些毛病若經久不癒，則可以食療的方式來調理肝腎，以達到活血化瘀，補腎強筋，除去體內的寒氣濕氣等，進而增加身體的元氣。

　　不管如何，有痛就要醫，不要累積成病，造成身心無謂的耗損。所幸我在台灣能夠輕易找到解決疼痛的傳統療法，才不致於因痠痛困擾而影響日常的生活作息。

　　我們的傳統醫理中有所謂的「痧」，即是循環不通暢，暑熱、邪熱困於肌膚表面，以致發燒頭痛，這些可用刮痧、拍痧之法治療。如果是肌肉痠痛，可用拔罐與放血療法。如果是筋骨痠痛，則有筋絡按摩、推拿按摩、整脊、整膝等方法。針對穴道，則有穴道按摩、腳底按摩、針灸等。種種方法都以通暢血脈為優先，平衡陰陽為首要，再藉以祛邪扶正，進而達到調節五臟六腑的氣血之效；當氣血恢復通暢，肌肉恢復彈性，人的身體也就回復健康了。

推拿

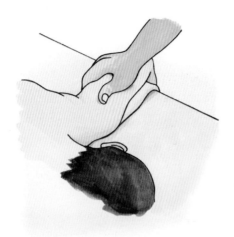

中國人的推拿的「推」是指往一個方向走，「拿」則是抓起肌肉，是一種完全不具有副作用且安全的按摩手法，通常也會壓住肌肉、吐氣等都是非常安全的辦法。

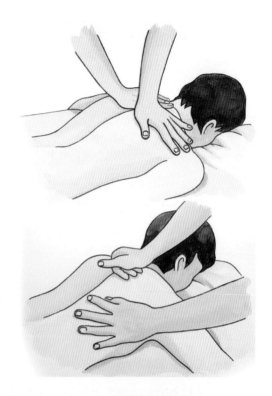

拔罐

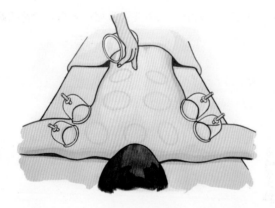

拔罐法，中國人早年用的道具是竹杯，杯身內用火燒熱後，另用熱的吸力吸住身體不舒服的肌肉位置，可放鬆肌肉並釋放不良的循環。

拔罐法可以針對全身的肌肉，肌肉被杯子緊收後會凸起，放開後如有一圈紅色，甚至黑色，則是反應肌肉因為疲勞而產生的累積物質釋放出來的結果，通常一兩天會散去；有時更嚴重的情形還需要放血，是用針扎肌肉的皮膚表面，再用杯子拔，會將一些濃稠循環不良的血液吸出來，針對五十肩等的病患，則可以達到立即的舒展。這些都可能不是西方醫學所能解釋的，很多受惠良多的中國人，知道這是我們民間極為普遍的民俗醫學。

了年紀一定需要付出所謂高挑線條的痛苦代價的。而百分之九十的人腳的形狀都最好有鞋墊來幫助身體重心的平衡，以免老來小腿疼痛，這些都是過來人的勸告。

任何有效的按摩，必須力道持續均勻，手法剛柔並施。按摩治療的手法有很多種，比如揉擦點擊搓搯抖等，都有其對應的位置與範圍。以前我不知道自己的肌肉已經僵化麻木，每每希望按摩師的力道越重越好，其實那是非常錯誤的觀念，因為那只是一種力量的刺激而不具有醫療的效果。

如果肌肉筋骨已經受傷，治療的時間點也需要有經驗的治療師做判斷。有時要冰敷，有時要熱敷，有時要泡藥，有時要治療，最好不要自己妄做決定，以免造成發炎，影響的範圍更大。

舉凡以上的各種治療方法，許多人都忽略了補充水分與排汗的後續動作。體內的濁氣或酸性物質等廢物，都是靠著排汗散出體外，一定要切記這個善後動作，多喝水，多排汗。

大部分的中國人，都有一種療養自己的方法，大多是經驗法則的傳承。我們的氣脈、經絡學等，因為抽象而神秘，有些人不願信服。近年來，透過各種科學儀器的分析和比對，希望為氣脈、經絡找出可以與科學依據整合的原理。而幸運的我們，因為相信老祖宗的經驗傳承，得以享用先人累積下來的智慧，在筋骨疼痛時，靠著傳統療法解除了痛苦。

古老中國人的智慧，針扎下去的穴點不會有血出來，扎下去若有酸的感覺，則表示有通到穴位。

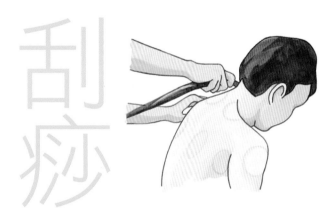

刮痧法可以除去各種輕微不舒服的症狀，如果呈現的顏色是紅黑色，則表示有把體內不好的氣藉由皮膚散出來，刮刀古代用動物的角，現代則只要有消毒過的任何平面的道具都可。

理財
家計

計畫

　　理家不止是打掃清潔買菜做飯，更重要的是財務的管理與計畫；開銷與存款儲蓄都需要計劃。我小的時候，銀行制度不像現在這麼完善普及，很多家庭都是靠標會來調度急需或儲蓄。積少成多是那個年代的理財之道，如果有閒錢四五十元，多半會繼續累積到變成一百元整數去存起來。現代人比較優渥，有閒錢四五十元的話，大概另外再挪出一二十元來滿足慾望。花錢是一種習慣，近幾十年來經濟學家鼓吹要刺激消費，信用卡預付制度的行銷，養成的奢侈或是促銷下的消費行為，是違背我們老祖宗的教導的。今天全世界的經濟問題，是不是過度造成的？高端學府在教導的行銷學，在乎的是消費這一個行為，但並不多見分析是否有購買此產品的必要，現今滿街奢華的媒體廣告，在在違反了節儉愛物的美德，在在挑逗著我們對購物慾望的滿足。

　　控制自己的慾望不容易，有記錄則可以分析出自己的消費習慣。我在網站上看到一個簡單的記帳表，方便好用，可以藉數字提醒自己學習節省，或找出預算的合理數據。這是程式記載消費分類並有分析，是一位大家暱稱「雙胞胎拔拔」的工程師撰寫的。經過他的同意，我把它美化後轉載於本書中。此外，一些分析存款的公式，可以幫助你計畫一筆遠程的數額。參加保險，以前大多為了健康保障，現在則已變成兼具儲蓄的一種方法。培養正確的價值體系，是有必要加強的，早年我們被教導的是先努力賺錢再談花錢，有需要才花錢，這個概念與習慣，是不容忽視的。

月	7月	8月	9月	10月	11月	12月		

年度總表

各月收支總計

每月餘額	1月	2月	3月	4月

各項支出總計

伙食費	
日用雜貨合計	
教育·教養費	
治裝費	
醫療費	
美髮費	
交通費	
清潔費	
喜慶·交際費	
買菜費用	
其他	
電費	
水費	
瓦斯費	
網際網路費 (撥接/ADSL)	
第4台收訊費用	
行動電話費	
行動電話費	
保險 (汽機車/房屋)	
個人保險費(老公)	
個人保險費(老婆)	
房租	
稅金 (燃料/房屋/所得)	
國外基金存款	
定存	

最愛的爸爸

我愛你，

因為有你的愛，

讓我成為世界上

最幸福的小孩，

謝謝你

祝你生日快樂！！

05/24/07

每日的紀錄	1		2		3		4		5		6		7		8		9		10	
休假日/節日	元旦																			
	品名	金額	品名	金額	品名	金額	品名	金額	品名	金額	品名	金額	品名	金額	品名	金額	品名	金額	品名	金
主食 早餐																				
中餐																				
晚餐																				
飲料																				
副食																				
零食																				
外食																				
伙食費合計																				
日用雜貨																				
教育·教養費																				
治裝費																				
醫療費																				
美髮費																				
交通費																				
清潔費																				
喜慶·交際費																				
買菜費用																				
其他																				
收支合計																				
臨時收入																				
餘額																				

月家計表

本月收入

項目	金額	進帳日
薪水(夫)		
薪水(妻)		
年終獎金		
收入合計		

本月生活費

項　目	別
伙食費	
日用雜貨合計	
教育・教養費	
治裝費	
醫療費	
美髮費	
交通費	
清潔費	
喜慶・交際費	
買菜費用	
其他	
生活費合計	

本月固定支出

項目	金額	支出日
電費		
水費		
瓦斯費		
網際網路費 (撥接/ADSL)		
第4台收訊費用		
行動電話費		
行動電話費		
保險 (汽機車/房屋)		
個人保險費(老公)		
個人保險費(老婆)		
房租		
稅金 (燃料/房屋/所得)		
國外基金存款		
定存		
固定支出合計		

本月餘額

累計餘額

本月留言

代跋

姚仁喜

好多年來，任祥總是遺憾於中國人精緻的生活藝術，常被外國人認為等同於散佈世界各地的China Town景象：雖有異國、多彩而熱鬧的氣氛，但卻是庸俗、廉價而髒亂。中國文化的精緻，似乎只存在於過去的歷史或博物館裡，而不存在一般人的日常生活之中。雖然她不是個文化學者，卻深深地把匡正這種錯誤的理解，當成自己的任務了。我受的美學訓練，也不能忍受呈現在眼前的俗麗，但是任祥卻把這種不能認同的心情，由遺憾轉化成了一種動力。縈繞在她心裡的，是一種重大而且迫切的使命感。

任祥擅於製造氣氛，更擅於塑造家庭的向心力。她想出很多節目，讓全家相聚的時候，有共同的興趣與樂趣。我們家人都喜歡動手「做東西」，兒女還小的時候，週末假日，全家人都埋頭於自己的創作：畫畫、書法、勞作、設計……，因為任祥準備了我們唾手可得的場地和素材；她也借傳統的節慶，主持整個家族的聚會，凝聚了家庭的價值，互動之外，也帶給了家人喜悅。

結婚二十五年來，她把每年的時節禮品都當成大事，親自設計製作每個春節、元宵、端午、中秋的賀禮，還有聖誕節的卡片。節節相連，沒有一次缺席。在這之間還有她自己做的首飾、陶器、家飾或各種突發奇想的物件（有時超大！），再加上親朋好友的生日禮物、結婚禮、滿月禮、辦宴會……不一而足，她常為了滿足別人，樂此不疲。

手工藝，是她最大的喜好，如果可以透視她的腦袋，一定又是一個個正在成型的工藝品。她不像一般女生喜歡名牌或珠寶等東西（大概知道我也負擔不起），有一年生日快到，她竟然問我說：「可以不可以送我一台沖床機？」。我問她要甚麼車子，她會回答要部卡車；她的工作室是個奇觀，說它是個地下工廠一點也不為過：除了各種原料、半產品、完成品外，新的材料也不斷湧現，還有攝影器材及設備、電銲、沖床、雷射切割……。當然，隨著這一套書的進展，這個「地下工廠」也悄悄地蔓延了我們整個家。更誇張的是，她要寫雞蛋，就自己養起雞來，還搭配了一隻公雞作伴，每天早上四點半就叫我起床打坐；要寫香菇，院子角落就出現了滿滿的種香菇的樹幹；要寫蔬菜，我的佛堂外面清靜的露臺一下子就種滿了各式各樣的青菜。要做豆腐乳，則從磨豆到養菌種，我在擔心不知道什麼時候她寫到牛奶，哪天回家會不會看到一隻乳牛在院子裡。

我作建築設計，雖然不屬於所謂的「極簡派」，但是「能一就不要二」是我的原則。任祥卻是「極豐派」，凡是任何東西，她都要以最最豐盛的方法去鋪陳。比如插花，我喜歡一色單純的幾朵，她卻喜歡在我們小小的客廳弄出一個比旅館大廳還盛大的盆花才罷休。我們兩人都愛燒菜，請朋友吃飯時，都還要互相搶做大廚；每次她主廚，出的菜量至少是我的三倍之多。多年以來，我終於參透了在她這種個性的背後，事實上是一顆慷慨寬大的心，更是希望諸事圓滿與盡興無缺的心願。

任顯群先生── 我極為景仰但無緣謀面的岳父，在眾所皆知的冤獄中，曾經編撰過一部中文字典，用他的部首查詢法查不到「難」字。任祥遺傳了她父親的這項特質，在本書中展現無遺。比如要介紹米食麥食素食葷食，她以鋪天蓋地的手法，把所有的食材、各種的烹飪的方法、加上各種形式的變化，在她能力所及的範圍內，都要全盤融入。在這套書裡，大家也可以

看到各式的冰品、蜜餞、麵食、出版、成語、禮儀、中藥……要不是篇幅有限，這套書一定終會發展成中國生活的DK。她以沒有「難」字的精神，提供近乎百科全書的內容，就是她照顧這些題材最切身的關懷。

「堂堂原東質」，這是一位長輩曾經用來形容任祥用的詞。有財經巨擘的父親任顯群，還有京劇第一青衣祭酒的母親顧正秋，任祥在一個濃宥傳統中國文化氛圍的環境下成長。由於這個獨特家傳的關係，她兒時的生活充滿了上一代各種精彩人物的故事，加上她對人與事特別敏銳，點點滴滴更豐富了她所傳承的生活智慧。我們三個小孩受的是西式的教育，加上我自由叛逆的傾向，她就只好獨力負擔起我們家裡文化傳承教育的任務了。從兒女們小時候起，她就不斷地見機而教，告訴他們中國人做人做事的道理。然而，在這個時代，這是一個辛苦的過程；傳統價值和現代習氣不見得相容，我也看得出在她自己心中的掙扎，不過，她還是扮演了傳統價值最佳的中流砥柱的角色。

有一次我們全家在歐洲旅行，有一段約六小時的火車旅程，一家人坐在事先訂好的小包廂裡。當大家都坐定，正想看看風景、好好輕鬆一下時，她從包包裡攤開了一大張預先準備好的中國與西洋歷史對照捲軸，希望孩子們把參訪的古蹟與旅行中聽到的歷史故事，在這一張她自製的世界歷史大圖上，產生一個跨越時空的知識連結。這個誇張的動作，被我們其他四個人嘲笑到今天，但話說回來，我們的女兒最後卻是以三年就拿到了歷史學位。

大女兒姚姚去上大學之後，任祥真正下了決心要把這本書出版出來。我們有個很緊密的家庭，不論做什麼，全家人都要相互關心。姚姚必須離家上大學時，這位母親就從美國西岸駕車載著女兒，開了三天三千英里的路，路途中跟她做離家之前最後的叮嚀。回到台北後，任祥終於把這套書的終極目標定下來了——「傳家」。她要把她所知道的中國人的生活智慧，完完全全傳給我們的下一代；而為了讓這些網路世代的年輕人有興趣接受這套書，配以大量精美圖文並茂方式呈現也就定調了。現在，大兒子JJ也已經到美國念書，小兒子小元也即將出國，他們三人一定是這套書的第一批讀者。他們是幸運的：有這樣的母親送給了他們這份滿盈心意的傳家之寶。然而，我也知道，這份傳家之寶是送給許多人的：許許多多珍惜我們世代相傳、獨一無二的文化智慧的人們。

這套書是任祥多年心血的結晶。它從最早迫切地要告訴外國人中國文化不是他們膚淺的理解，轉換成一位母親對下一代娓娓道出應該珍惜的文化傳承。對她而言，也是一段峰迴路轉的心路歷程。去年，我們有幸跟著佛教老師宗薩蔣揚欽哲仁波切到喜馬拉雅山中的小王國不丹作五天的紮營登山之旅。那是一次極具體力、耐力與精神挑戰的旅途：雖然風景動人、如同世外桃源，但是天候惡劣、路途更是艱險辛苦。任祥從來就不是個愛運動的人，體力也不好，所以每天那約二十幾公里的上山下河，她走起來特別辛苦。那五天，我看著她雖然步伐緩慢而艱困，但意志卻堅定而不放棄，一步一步，終於走完了全程。

這正是她編撰這套《傳家》的寫照。

西元二〇〇九年十二月　姚仁喜

傳家系列書籍第一版前兩刷，印製過程中諸多突破，
引起廣泛讀者大眾的好奇，有感這也是一個傳承，茲將其流程記錄於後：

紙張裁修→摺紙→內頁書口修成完成尺寸→手工黏貼單張扉頁、單拉頁→配頁→穿線→上書背膠(PUR膠)、
黏書背紙→書背布燙黑金、壓K線→貼書背布(荷蘭布)→黏前封面及後封面→裁修天地邊→品管出貨。

1. 紙張裁修

輸入裁切尺寸，將印刷後未裁切的大紙推入裁紙機，雙手按住安全
開關後，用腳控制裁刀進行裁切。

2.摺紙

 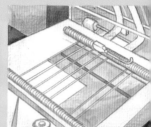

將紙張置於齊紙台齊紙，將紙張鬆開並整齊的放置於紙張餵入平
上，進行摺紙作業。

3.內頁書口修成完成尺寸

 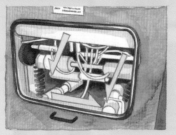

先由作業人員將需要裁切書口的內頁投入，經過輸送帶，機器三面刀
進行裁切，但是本次作業不裁切天地，僅裁切書口邊。

4.手工黏貼單張扉頁、單拉頁

此步驟是由人工手工黏貼單張扉頁、單拉頁。

5.配頁

作業人員將各台內文紙張依照台次
順序放好、依序配頁。

6.穿線

作業人員將配頁完成之整本內文頁由左方置入穿線機，經過右方穿
線出來後，整本書的耐久度會更好。

參考書目與資料收集

雲縷心衣
中國服裝史
FLOWERS JEEF LEATHAN M
Tropical Colors
台灣編織植物纖維研究
COUNTRY FLOWER STYLE
TABLETOPS
台灣民間文化藝術
中國古代妝容配方
妝匣遺珍
服妝辭典
刷種 刷目 刷人
龍
中國國劇臉譜大全
CHINESE CLOTHING
中國藍夾纈
錦繡唐卡
織繡唐卡
字在自在
中國造型
民間染織
FLOWER FROM TAIWAN
服裝紙樣放縮
SAMPLE FLOWER
中國吉祥圖像大觀
2008年中華插花藝術展作品集
梅蘭芳訪美京劇圖譜
清代宮廷服飾
民間染織
民間荷包
民間刺繡
雲南少數民族服裝與節慶
白蛇傳收藏本
吉祥對聯

DRAGONS & SILK
亞洲之書 文字 設計
書 設計
清香流動
豆腐之書
米食功夫
香港點心
台灣小吃
湖湘酒文化
聽茶在説話
點食成經
蔡瀾食材字典
火鍋
火鍋配方揭密
養生穀粒
飲饌中國
老成都食宿圖
上海老味道
金風玉露憶相逢
台灣茶第一堂課
酒器
珍珠奶茶完全攻略
食味萬千
台灣的米
食髓知味
飲膳雜記
紅燜廚娘
窮中談吃
滿漢通吃
國宴與家宴
四川名小吃典故與製作
蔡瀾的生活方式
慢食府城
茶薰

台灣小吃DIY
金風玉露
烹飪入門
菜市場魚鑑圖
有機心生活
成都美食地理
川菜
江浙美食
培梅食譜（一）
培梅食譜（二）
培梅食譜
飲食宜忌速查輕圖典
台灣小吃
食在自然
欣葉心台灣情
香港味道（一）
香港味道（二）
歡喜團圓做年菜
Chinese foods
阿基師呷水水有撇步
我的川菜生活
最受歡迎醬料排行榜
105道中式醬料
四川菜
Chinese culture style
2009 all in Taiwan
跟上海菜談戀愛
第一次種菜説豐收
輕鬆吃好菜
招牌魯肉飯
101種常用食材健康圖典
麻辣鍋滷包配方大破解
北平菜食譜
我的自然農法

健康人美食
中國米食
正宗台菜料理
漢光家常菜
天華健康食譜
杭州菜故事
自己包餃子
四季養生素食
自己滷肉
中式麵點製作技能
日本MOA自然農耕
家常便飯蛇王芬
有機蔬菜
TAPAS Penelope ca:
The Taste of Spain
Seafood Cooking
料理圖鑑
中式烹調師實用手
蔡瀾食典後篇
面點工藝學
烹飪調味應用手冊
中國烹飪工藝學
台灣好蔬菜
家庭菜園種植活用
台灣蔬菜生活曆
蔡瀾食用字典續篇
烹飪火候
料理東問西答
中國風味面點
糕與粿
烹飪原料學
西點工藝學
中國圖書的故事
歷史的五字經：鑑

再版後記

　　《傳家》繁體版的初衷已經於今年八月圓滿，那是為期兩年的「法鼓傳家」募款計畫，總共募得新台幣七千二百萬元，以不扣除成本的狀況下全數捐出。

　　《傳家》簡體版於去年四月在內地推出，出版商説印好還來不及擺放，立刻就發了出去，至今已經賣出了十萬套。

　　為應海外讀者的催促，翻譯成外文版也著手進行。出版單位也計畫於明年，推出「堂奧、傳家」展，在內地做巡迴教育式的展覽。現在繁體版再版，這些事，都不曾在我的人生計畫單中出現過。自己所學不多，只是本著一個母親急切的心情，所編撰出來的一套書，能得到廣大讀者群的喜愛，我心存感激，只能説自己受到上天的眷顧，讓生命有這一抹色彩，好似一幅黑白水墨畫作中，出現了不曾見識過的渲染潑墨。

　　南懷瑾老師於今年十月圓寂，他的辭世是所有人的損失，由於老師對我的厚愛與期許，對老師的離去，自然有著持續無法抑止的傷痛，也常常憶起他對本套書的先見。二○○九年去請老師指點本書時，他讚許這是一件好事，送給我序文、書名墨寶與印刻之外，並囑咐我要「便宜賣」。至今，從許許多多的讀者來信中才明白，我所編的這一套書，是他們用來做為跟孩子們溝通，甚麼是中國人的一套簡易初級入門教材。南師對於文化承傳付出了一輩子的心力，他自然希望這套書能夠普及給孩子們。每當內地的出版社告訴我銷售狀況時，我都默默的向他老人家報告：「老師！我做到了！」

　　有一次我在廣州與讀者會面，一位讀者表達希望將來兒子娶的女人必須是讀過《傳家》的。我感謝他的認同，並且對他説：「您當然可以讓您兒媳婦讀《傳家》，但也請您讓您的兒子先讀，因為《傳家》不是只寫給女人讀的書。」《傳家》用的是一位母親的口吻，寫出跟我們文化相關的事物，與生活中的美好。家庭的和諧與美好靠的是全家人一起經營，絕對不是一個女人可能全面兼顧的。

　　另外一位讀者帶著即將出國留學的女兒來，她留書道：「姚任祥講出了我想説不知從何説，不知從哪説，不知怎麼説的所有。我的不放心都寄託到行囊裡的書了。」由此信中，我也明白全天下父母心是一樣的，當初就是因為大女兒到美國上大學，我陪她開了四天三夜的車程去學校，一路上，就如同讀者一樣的問號盤旋在心，才努力的展開了製作《傳家》這套書的動機，一發不可收拾的完成這份小百科。我的孩子們代表著華人世界這一代的年輕人，從他們身上，看不到具體的武器，可以去抗衡西方教育與外來文化的衝擊，拿不出自我的主張去面對如洪水猛獸般的媒體，不分青紅皂白，照單全收著時尚與流行，繼續著錯誤的生活

步調與飲食習慣，這樣下去，不只遠離屬於自我的文化，同時背離了正確的價值體系，更或形成所謂亞健康的病態，這些都是現代中國父母縈繞在心頭的憂慮。我們的文化更並非幾本書就可能窺其堂奧的，《傳家》書作希望能起拋磚引玉的作用，它不是可以解決任何現況問題的一本書，反倒是「做自己的傳家」，這才是我真正想要鼓勵讀者朋友的。每一個家庭都可以寫出自己長輩的故事留給後代，可以做自己的齊家心語、家傳小食、家庭規矩、飲食叮嚀……。

本次再版的內容增加了繪畫、器物、音樂、傢俱、朝代、地理等，彌補了上一個版本沒有完成的遺憾。為了這新的增訂版本，動員的人力物力並不亞於上一個版本。我不是史學專家，很多資料的完整性，或是在時代的考證上，都沒有辦法強調，或許會有不少謬誤，在此誠心的期望前輩們給予指正。

感謝永豐餘集團的張杏如執行長，她同意秉持著南老師「便宜賣」的交代，讓再版的繁體版，不以商業利益為前提考量下發行，無疑的，這是所有讀者朋友們的福份。感謝傳家團隊，我稱呼這是一支「散裝」部隊，她們之中沒有一位專職於本案，但個個精英，在忙碌的公餘，完成不可能的任務。

我由衷的希望《傳家》書作能提供給孩子們另外一個角度審視自有的資產，認識自己的由來，知道打從出生開始，他們血液裡就已經存在的文化養分。希望孩子們不要忘本，好東西就在自己家。中國文化博大精深，人情義理有必要認識，生活紀律有必要加強。希望在他們扁平的國際化時代中，能保有自我，治理自己的家，活出他們該有的傳承。

西元二〇一二年十二月　姚任祥

一、本書第26、29、38、39頁

　　文案撰寫：楊昇儒

二、本書第47頁前三段、第50、51頁

　　文案撰寫：李應平

三、本書第123～126、131～134頁之器物長軸

　　表彙整：姚任祥　林宜熹　彭亮雍

四、本書第130頁

　　文案撰寫：林宜熹

五、本書第139～142、147～150頁之服裝版型

　　製作人：No 1 常淑君　　No 23 許鳳玉

　　　　　　No 09、13、17、20 陳宜薇

　　　　　　其餘17套 鄭惠美

　　23套服飾製作：蔡明宇

六、本書第187～190頁之朝代彙整：

　　姚任祥　林宜熹　方雅鈴

七、本書第195～198頁之出版總表彙整：

　　姚任祥　劉君祖　林宜熹　汪招菁

　　賴曉雲　季季

八、本書資料收集：姚任祥　陳怡茜　許貞瑋

　　　　　　　　　鄭虹伶　賴怡姍　汪招菁

　　　　　　　　　林宜熹

7.上書背膠(PUR膠)、黏書背紙

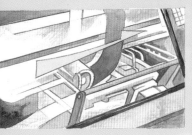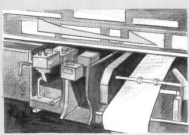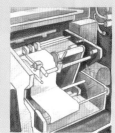

上書背膠前，先將PUR膠座推入膠裝機內，書本經輸送帶傳送，做過膠的動作，之後接續黏書背紙，書背紙的作用在於之後跟書背布做更好的黏合效果。

8.書背布燙黑金、壓K線

作業人員先調整機器與轉印紙，先將燙金版放置好之後，調整位置使其對應書背中間，然後燙金版加熱，機器會將書背布帶到燙金版位置，受限於燙金版，一次只能燙三本。

9.手工貼書背布(荷蘭布)

作業人員將荷蘭布通過上膠機器，以手工黏貼。

10.手工黏前封面及後封面(一摺拉頁)

以手工黏貼封面及後封面。

11.裁修天地邊

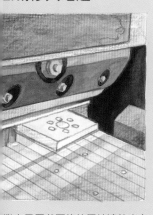

作業人員用裁刀修掉天地邊的出血。

12.品管出貨

完成後檢查裝訂有無平整、裁修有無毛邊、黏貼有無確實後，方可出貨。

國家圖書館出版品預行編目(CIP)資料

傳家. 春 / 姚任祥作. -- 二版. --臺北市 ： 信
誼基金會, 2013.05
面 ； 公分
ISBN 978-986-161-463-2(精裝)

1.風俗 2.中國

538.82 102004197

著作權人　財團法人大元教育基金會

傳家網址　www.artofchineseliving.com

編　著　姚任祥

作　者　姚任祥

文字整校　季　季

攝　影　劉振祥　姚任祥

執行主編　劉玉貞

插圖繪畫　葉子明

美術設計　段世瑜　陳怡茜　方雅鈴

美術顧問　霍榮齡

場景佈置　姚任祥

傳家團隊　方雅鈴　田瑾文　林宜熹　許貞瑋　葉翠茹
　　　　　陳怡茜　陳碧蘭　蔡孝君　賴怡姍

法律顧問　常在國際法律事務所 林秋琴律師

出版發行　信誼基金會

總 代 理　上誼文化實業股份有限公司

地　　址　台北市重慶南路二段七十五號

電　　話　(02) 2391-3384 (代表號)

網　　址　www.hsin-yi.org.tw

客戶服務　service@hsin-yi.org.tw

郵撥帳號　10424361

戶　　名　上誼文化實業股份有限公司

出版日期　2013年5月

版(刷)次　二版一刷

I S B N　978-986-161-463-2

印　　刷　沈氏藝術印刷股份有限公司